W9-CSV-552

倪匡科幻小說123

只限老友

自序

這個故事的命題很古怪：『只限老友』。

『只限老友』的意思，就是只限老友。

有了這樣的命題，就不會誤導非老友——早已宣告在先：只限老友！不認識衛斯理者，根本看不懂這個故事，所以真的不要看，免得浪費時間。

而老友，總會在故事中略有所得——希望如此。

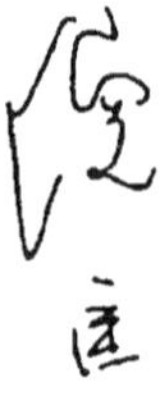

零四年二月底

『老友』是粵語詞彙，有『老朋友』之義，更有『好朋友』之義。粵語詞彙之生猛多義，其他方言很難比擬。試以粵語『打油』四句，述古稀老人生活：

餓食攰瞓冇時辰　睇書聽曲望浮雲
懶去淋花等雨落　忘咗餵魚又黃昏

哈哈，各位安好！

contents

始。

兩件事情，並無關連，卻可以放在一起說，作為這個故事的開始。

我在書房找尋一些資料，聽到門口傳來隆然巨響，大門被打開，可以肯定大門不是用正常的方法打開的。書房門沒有關，我只要轉過頭去，就可以看到樓下大門的情形。可是我並沒有轉頭，因為我知道用這種方法進來的不會是什麼別人，必然是紅綾。

果然在大門發出異常聲響被打開之後，就聽到了紅綾粗重的呼吸聲——這表示她正處於相當生氣的情況之中。

接著就是她重重的腳步聲，每一步踏在地板上，絕無誇張，在我面前的一盆蘭花，葉子就會震動一下。

然後就是她的一聲大叫，聲音震耳，她可能看到了我在書房中的背影，所以是衝我叫喚的。

她叫的是：『爸！你可知道溫寶裕在搞什麼鬼？』

我還是沒有轉身，只是回答：『不知道。』

我非但不知道溫寶裕在搞什麼鬼，也不知道紅綾這樣問是什麼意思。同時我心中在想：別說溫寶裕是人家的孩子，就算紅綾，是我的女兒，我都不知道她最近在搞什麼鬼！

我等待紅綾作進一步說明，紅綾大叫：『溫寶裕他自己封自己為——』

紅綾說到這裡，忽然停止，而且發出了一下歡呼聲，聲音更是響亮無比。

這種情緒上的轉變，突兀之極，可是我卻一點都不感到意外，因為我知道紅綾是為什麼會從盛怒的情緒突然轉變為高興之極。

當然那是因為她看到了我放在當眼處，使她一進門就可以看到的那一罈酒的緣故。

使我意外的是她本當一打開大門，就算沒有看到那罈酒，也應該可以立刻聞到酒香。而她居然沒有聞到，由此可知，她的憤怒情緒非常強烈——憤怒是很糟糕的事情，不但能夠使人喪失理智，也可以使人的感覺減退。

所以當時我自然而然在想：究竟是什麼事情令得紅綾如此憤怒？當然事情和溫寶裕有關，溫寶裕自己封自己做什麼了？

我正在想，紅綾已經在大聲問：『這是齊白叔叔拿來的嗎？他又是在什麼古墓中找到的？』

我不禁又好氣又好笑，心想這世界真是現實，紅綾從來不知道稱呼人的規矩，總是沒大沒小，可是現在有了好酒，在齊白的名字之下，居然有了『叔叔』的稱謂！

我也很佩服紅綾一下子就知道這罈酒非同小可。

酒，並非齊白拿來，也不是古墓之中發現的古代美酒。

還記得很多年之前我記述過一個故事，一開始就是一群人聚在一起品嘗齊白從一座古墓中取出來的古代美酒嗎？

每當我提起這件事的時候，紅綾就羨慕之極，非常希望當時她能夠在場，她也一直希望可以有品嘗古代美酒的機會。

（說到古代美酒，有一些題外話：當我記述那個品酒會，提到古代美酒的時候，頗有一些人看了以後，以為是天方夜譚者。可是今年，就有考古隊從漢代古墓之中發現了保存完好的酒，經歷了幾千年，酒仍然清碧香洌。所以齊白在古墓中發現美酒，並非是那麼不可思議。）

（在我記述的故事之中，有許多被認為『不可思議』，那是由於還沒有可以被發現的事實來證明的緣故，在有了這樣的事實之後，就會恍然：這種事情原來真是有的！）

（人們為什麼不能稍微運用一些想像力，早些就想像這些事情真是有的呢？）

這時候紅綾認出了這罈酒非比尋常，就自然而然認為是齊白拿來的了。

而更湊巧的是，紅綾這時候提起齊白，完全是由於酒的關係，她完全不知道事情會和齊白有關——事實上，這時候連我也不知道事情和齊白有關係，因為酒是小郭拿來的。

小郭來的時候，我不在家，小郭放下酒，留下話，說是還會來找我。我也不知道小郭有什麼事情，也沒有特別放在心上。這時候紅綾誤以為酒是齊白拿來的，我就順口告訴她實在的情形。

其時紅綾早已打開了酒罈，大口喝著，只能以連連點頭來回答。等到她緩過氣來，才大聲道：『好酒，不過比起齊白叔叔上次拿來的，差得遠了。』

我沒有和她繼續討論酒的好壞，問她：『你剛才怒氣沖沖，事情和溫寶裕有關？』

紅綾哼了一聲，又重重頓足，道：『真是莫名其妙，小寶他自封為「新生大同盟」的「盟主」！』

我怔了一怔，若是以前，我聽到了這樣的話，反應一定是哈哈大笑，當作是溫寶裕又異想天開，不知道在搞什麼花樣，怎麼也不會真正放在心上。可是現在卻大不相同，因為近年來，在溫寶裕身上，有極大的變化——從最近一次和他接觸的情況來看，我和白素都判斷溫寶裕的情形非常嚴重，已經不止是受到了那個『長老』的影響，而是發展到了長老的思想已經侵蝕了溫寶裕的腦部！

這種嚴重的情況，在某種程度上來說，可以說是長老通過了溫寶裕的身體在行動──在溫寶裕和長老之間，幾乎可以劃上等號！

事情當然嚴重之極，可是我們卻一點辦法都沒有，因為我們對溫寶裕的影響力，完全無法和長老這個外星人對抗，溫寶裕腦部活動完全傾向長老，我們說什麼，他非但不會聽，而且還會覺得我們非常『幼稚可笑』！

而更令我們擔心的是，溫寶裕（長老）認定地球目前的狀況糟糕透頂，若不改善，地球必然趨向毀滅。

關於這種說法，我倒並不完全反對，甚至於我也可以同意，地球目前狀況糟糕的情形，是源於人口太多。可是溫寶裕提出來的解決方法，是大規模減少地球人口，其減少的幅度之大，是任何狂人所難以想像的。

如果只是溫寶裕一個人的妄想，只要哈哈一笑，當他放屁即可，可是我們都知道：溫寶裕的妄想，來自長老！

那就大不相同了。

長老目前雖然『被困』在山腹之中，可是絕對不能低估他的能力——我們都相信他真能夠照他的想法來減少地球人口。也不懷疑他真的想那樣做。

因為在和他的接觸交流中，可以強烈地感到，長老由於當年曾經參加改造地球的行動，而結果失敗，經過改造的地球並沒有按照他們的計畫發展，所以長老覺得自己有責任改變地球目前的狀況。

這是最可怕的一種情形：覺得有責任一定要做些什麼，成為一種使命，而且在感覺上完成這種使命，是為了他人著想！

這種荒謬可怕的情形，曾經形成近代史上最大的慘劇，在慘劇中死亡的人數以千萬計！

而那只不過是一個地球人所造成的。

如果以長老的力量來實現他的使命，那麼結果就是他完全可以實現他『拯救地球』的『理想』！

所以在這種情況下，溫寶裕的行動，即使看來非常滑稽，也不能不使人想到會有大量人口死亡的可能，都令人笑不出來。

我在怔了一怔之後，問道：『那個……大同盟，是什麼玩意兒？』

紅綾攤了攤手：『詳細情形我也不知道，只知道溫寶裕通過電腦網路，正在招募盟員。』

我哼了一聲，紅綾又補充：『招募的條件還十分苛刻，而且最莫名其妙的是，人數限制得很古怪。』

我心中一動：『他準備招募多少人？』

紅綾道：『十四萬三千九百人。』

紅綾只覺得這個數字很零碎，所以感到非常古怪。顯然她對這個數字並沒有特別的概念。而我聽了之後，卻感到了一股寒意！

因為這個數字非常接近溫寶裕一再提到，而我感到無論如何難以接受，所以也一直不願意提起——照溫寶裕（長老）的意見，地球人口太多，會導致毀滅，我曾經問過：『照你們的意思，地球上適合多少人生活？』

溫寶裕當時毫不考慮，就大聲報出了一個數字——和紅綾剛才所說的很接近。

當我第一次聽到溫寶裕說出這個數字的時候，一則駭然，一則好笑，還問了一句：『現在地球上有將近六十億人，若是要拯救地球，那麼多人該怎麼辦？』

溫寶裕的回答是做了一個手勢——誰都可以看出這個手勢的意思是『消滅』！

當時我揮了揮手，只當他是在開玩笑。

後來他一再提到這個數字，而且還設想了種種『消滅剩餘人口』的方法，我也只當他一貫天馬行空，在發神經，並不以為事情會真的發生——因為他所說的一切，包括他其中一個將人變成塵蟎的設想在內，都是妄想多於一切，根本不值得重視。

可是自從知道了溫寶裕和『長老』漸漸變成兩位一體之後，這些理論，這種想法，就變得有成為事實的可能——溫寶裕一個人，任他的想法再荒唐，他也根本沒有能力去實現，只不過是想想而已。然而長老這個外星人卻不同，他有非常人所能想像的能力，真要胡鬧起來，會發生什麼事情，難以預料。

所以情況和單是溫寶裕的妄想不同，值得擔憂。

然而雖然一直在擔心，卻仍然不以為真的會發生什麼事情。現在溫寶裕開始在招募人，數字又如此敏感，那表示什麼？

答案只可能是：他在開始行動了！

『消滅大量人口以拯救地球』這種想法，並不是溫寶裕自己創造的，而是來自長老的影響。溫寶裕一再發表這樣的理論，事實上只不過是代長老在宣傳而已。所以他現在有了行動，也不是他的行動，而是長老的行動！

所以事情非同等閒，十分嚴重。

紅綾看到我臉色不好，眨著眼，顯然她沒有意識到事情的嚴重性，我不等她發問，先問她：『剛才你很生氣，是不是感到溫寶裕的作為不對頭？』

紅綾道：『是啊，他這個什麼大同盟，說是可以給予參加者新的生命……就像是什麼邪教組織，而他就是邪教教主了，真是不像話！』

我怔了一怔，聽紅綾所說，好像又跟我剛才所想到的並不一樣，我問：『溫寶裕招人的網址是──』

紅綾走向電腦，飛快的打下網址，很難想像她粗大的手指，動作可以如此靈活。

電腦螢幕上，立刻出現了『新生大同盟』的字樣，不斷閃動，顏色刺目，而且伴以驚人的音樂，完全是唯恐天下不亂的溫寶裕典型作風。

我感到又好氣又好笑，接下來是大同盟的主旨：『本同盟之目的，是深感人類現在的行為，必將導致地球毀滅，故必須徹底改變生命形式，使新生人類成為宇宙間高級生命之一部份。』

再接下來，就是申請加入大同盟的條件，一開始就聲明：『本同盟只接受盟員十四萬三千九百人，申請加入資格非常嚴格，必須完全遵守。』

那『非常嚴格』，可真不是蓋的，列舉出來申請者需要填報的資料，只怕是人類社會自有『組織』以來，最嚴格的了，要求申請者報告從出生以來的一切經歷，還要就『不願意和地球一齊毀滅』以及『人類現在的不堪行為』發表不少於一千字的意見。

最後還要申請人表達對於『新生命』的嚮往。

還有很多亂七八糟，莫名其妙的要求，也完全符合溫寶裕的作風。而更典型的是，看來看去，這所謂『新的生命形式』，究竟內容如何，是怎麼一回事，卻完全沒有提到！

我匆匆看完，實在是又好氣又好笑，道：『溫寶裕看來真的是想當邪教教主，不過這樣的招募方法，誰會去參加？』

紅綾回答：『小寶會做這樣的蠢事，這才令人生氣！他有聲明，這次招募廣告，只是第一波，還有下文，可能第二波廣告，會有吸引力，例如……』

紅綾一時之間也想不出有什麼例子可舉，我笑道：『例如可以使人長生不老。』

紅綾笑：『會有人相信嗎？』

我想起人類行為之愚昧，不禁嘆了一口氣：『很難說，什麼樣的邪教，都有人會相信。』

紅綾搖頭：『真不知道他想幹什麼！』

我也不知道溫寶裕這樣做的目的是什麼，試探著問紅綾：『是不是直接問他？』

紅綾點了點頭，就發信給溫寶裕，非常簡單：『目的？』回信來得極快：『救人。』

我和紅綾相視苦笑，真是問了也是白問！

有關這個大同盟，我連再想一想都不願意，紅綾在那次之後，也沒有再提起，所以在下一次我再次接觸到它之前，完全不知道它的發展情形如何。

而有關溫寶裕的那種設想，我夾雜在許多故事之中，斷斷續續敘述，每次敘述或多或少，都不是故事的主要部份，想來各位都早已知道。

這個故事，實際上是從小郭開始的。

小郭第一次來找我，沒有遇上，第二天他又來，我一看到他的神色，就問他：『什麼困難？』

朋友認得久了，就有這個好處，不必多說，就可以知道發生了什麼事情。

小郭也開門見山：『受委託要找一個人，閣下是唯一線索。』

我揚了揚眉，代替詢問。

小郭神情苦澀：『齊白。』

我一時之間說不出話來，只是乾瞪著他。

我之所以有這樣的反應，其實非常自然。

要找人，本來就相當困難，可是再困難，譬如說要找亞洲之鷹羅開，夠困難了罷，卻也知道他在地球上，在地球的時間中，總算有個範圍。

然而有兩位仁兄，卻是連這種範圍都沒有的。

一位是原振俠醫生，開始我們以為他迷失在無邊無涯的宇宙，後來陸續有些訊息，才知道他是進入了『多方向時間』，情況比在宇宙迷失更要複雜，完全超出了我們能夠理解的範圍——只能說一句：三十三天，他不知道在哪一天！

要找原振俠醫生，是沒有可能的事情。

另一位難以找到的人物，就是齊白了！

齊白的情形和原振俠又不同，他進入了一個非常奇特的空間——要解釋這個空間，相當困難，而我在記述中，簡稱之為『陰間』，真正詳細情形，記述在幾個不同的故事之中，在這裡不再重複。

齊白在『陰間』的身份十分特殊，沒有聽說他也和李宣宣一樣成了『陰間使者』，也當然不是創造陰間的『一二三號』（外星人），不過他經過了外星人某些身體上結構的改造，和李宣宣一樣，能夠隨時來回陰間——那是一種突破空間的能力，非常怪異，他可以隨時出現在你的眼前，又在你的眼前消失。

齊白對於自己這種經過改變的身份，非常滿意——不單是因為他從此可以和他經歷了不知道多少世的愛人長相廝守，而且他的生命形式也起了根本的改變，好像已經避免了衰老和死亡。

對於這一點，齊白更是洋洋自得，他曾經用中國傳統神話中有關神仙部份的傳說，來說明他的身份。他說：『神仙有很多種，有天仙、地仙、冥仙等等，我和陰間有關，當然就是冥仙。』

他還很起勁：『賢伉儷若是也想和我們一樣，我可以在陰主面前美言幾句，應該沒有問題。』

我當時又好氣又好笑，立刻回絕，用的是一句上海話：『謝謝儂一家門！』

齊白覺得我不受抬舉，很是悻然。

關於齊白的情形，算是極簡單地介紹了一下。而我十分欣賞齊白的是，他在生命形式改變之前，將他歷年來所發現的古墓，詳細記錄，將古物封存在原來的古墓之中。當然也有發掘出來的大批古物，他也完全交給了我處理。

所以齊白在我心中，一直有非常崇高的地位，直到發生了一樁很怪異的事情。

這樁怪異的事情，我很詳細地記述在《考驗》這個故事之中，事情當然和齊白有關，在那段記述中，我只記了事情的經過，對於事情的來龍去脈，卻一無所知——一直到現在，我還不知道為什麼會有這樣的事情發生，變成了沒有下文。

在我記述的故事之中，『沒有下文』的情形並不罕見，這件和齊白有關的事情，是其中之一。可是正由於事情和齊白有關，而齊白又是我十分尊敬欣賞的人，所以我一直想找出這件事情的原因來，可是從那次之後，我卻再也沒有見過齊白。

其間我用了許多方法，齊白的愛侶李宣宣曾經答應白素，說只要白素想見她，她就會出現，可是白素無數次表示要和她相會的願望，李宣宣也沒有出現。

由於那件和齊白有關的事情十分怪異，所以我和白素揣測，齊白和李宣宣可能有了非常意外的遭遇，可是他們不現身，我們又不能自由來去陰間，在無可奈何的情形下，事情只好變成沒有下文。

至於那件怪異事情，極簡單地來說，是那次天嘉土王要我擔任他通過『天神考驗』的助手。而在這期間，齊白突然出現，向土王要求一件不知道是什麼事情。

事情怪異在以齊白那種身份，實在不應該再向任何人作任何要求的了，可是齊白卻向天嘉土王苦苦哀求，神態之卑躬屈膝，簡直到了令人不忍卒睹的地步，甚至於不惜出賣我，以求達到目的。

不過無論齊白怎樣哀求，土王並沒有答應他的要求。

更怪的是，不論是我問齊白，還是問土王，他們都不肯說是為了什麼事情。

而我無論怎樣設想，也無法想像究竟齊白要求土王什麼事情。土王只約莫透露了一下齊白的要求荒謬透頂，我也無法根據這一點想到什麼。

所以我一直想再見到齊白，只是用盡方法，未能達到目的。而現在小郭卻以為我可以幫助他找到齊白！

我在聽了之後，實在除了乾瞪眼之外，無法有別的反應了。

小郭還充滿了希望的望著我，我愣了片刻，才嘆了一口氣，道：『我也在找他，幾年了，沒有找到！』

小郭用十分疑惑的眼光望著我，他對於齊白的一切，都很瞭解，也知道白素和李宣宣之間的交情，所以難免懷疑。

我將在天嘉土王那邊發生的事情，告訴小郭，並且說出我的結論：『我認為，在齊白和李宣宣身上，發生了我們難以想像的事情，所以才無法和他們聯絡。』

小郭聽了我的話，神情古怪之極，我盯住他，他攤了攤手，道：『怪之極矣！十萬火急，委託我找尋齊白的，正是那個天嘉土王啊！』

小郭本來對於他的委託人是誰，非常之有職業道德，是絕對不肯透露的，可是事情實在太怪，所以他才忍不住說了出來。

聽得是天嘉土王要找齊白，我也感到古怪透頂——當年齊白如此不顧一切，向土王要求什麼事情，土王只當他是神經病，為什麼現在掉過頭來，土王要找齊白了？

我望著小郭，等他作進一步說明。

小郭搖了搖頭：『土王沒有向我們說明他為什麼要找齊白。』

我感到疑惑，問道：『我們？』

小郭吸了一口氣：『土王召集了九位世界頂尖有找人能力者，在他的王宮見面，委託尋找齊白。』

說到這裡，他頓了一頓，神情十分自負：『九個人之中，有六個連齊白是什麼人都不知道，兩個只是隱約聽說過，只有我，才知道齊白的來龍去脈，一說，土王就大為嘆服，將找到齊白的希望完全放在我的身上！』

我自言自語：『真奇怪，土王要找齊白，是為了什麼？』

小郭道：『我沒有問——也不便問。只不過看土王的神情，像是非常焦切。』

我哼了一聲：『你接受了委託，當然不是為了報酬——雖然土王出手一定極重。』

小郭十分有知己之感，連連點頭：『兩億英鎊對我來說，不算什麼，重要的是能夠找到齊白，我的偵查事業，也就到達了世界頂峰！』

我大搖其頭：『我並不是這個意思，我的意思是：你既然不在乎報酬，就應該不怕得罪顧客，可以直接問他究竟為什麼要找齊白，而且告訴他，如果他不說，就不接受委託！』

小郭苦笑：『他說了原因，就能夠找到齊白嗎？』

我也苦笑：『不能，只能夠滿足我的好奇心——可以知道他和齊白之間究竟有些什麼樣的糾纏！』

我和小郭認識很久很久，所以彼此之間，說話都可以直接，省卻不少工夫。

小郭不但會意，而且進一步明白，他點了點頭：『是，齊白忽然消失，可能就和當年他向土王要求不遂有關，這是一個線索，可以從究竟當年齊白向土王要求了一些什麼追查起。』

小郭這番話，正合我意。

小郭走向大門，道：『我這就去見土王。』

在當時，我絕對料不到事情下一步的發展竟然會是那樣！

第二天晚上，先是接到了小郭的電話：『請在家裡別外出，我會來。』

電話是九點鐘左右來的，等到午夜，小郭還不見蹤影，我向白素埋怨：『老朋友以熟賣熟起來，真令人難以忍受，他要我等到什麼時候？』

從《考驗》這個故事之後，我和白素不止一次討論過齊白和天嘉土王之間的糾葛，集中在設想齊白究竟向土王要求什麼，可是完全沒有頭緒。

白素也知道我很想得到這個疑問的答案，所以這時候她並不同情我，笑道：『想知道謎底，連等上一會都不耐煩？』

我哼了一聲，表示心中的不滿，白素忽然道：『可能等待的結果，有意外之喜！』

我不知道白素何所據而云然，望著她，她道：『小郭到我們這裡來過無數次，有哪一次是事先打電話來預約，要我們在家裡恭候他大駕的？』

我想了一想，確然沒有這種例子——這次他有事，也是兩次都這樣上門來，並未預告。

由此可知白素的推測很有道理：這次確然有不尋常之處。我正想問白素會有什麼樣的意外，就已經陡然想起，失聲道：『有人會和他一起來！』

緊接著，我和白素異口同聲：『天嘉土王！』

正因為我和白素已經料到了天嘉土王可能和小郭一起來到，所以當門鈴在凌晨兩點響起，我打開門，小郭先進來，他的身後跟著一個人，神神秘秘，戴著帽子，帽簷壓得很低，半夜三更，戴著老大一副黑眼鏡，又圍著圍巾，務求人家看不清他的臉面。

一看到這種情形，我和白素互望了一眼，同時大聲道：『難得天嘉土王大駕光臨，榮幸之至。』

跟在小郭後面的那人，這時候才一腳跨進門，一聽得我們這樣說，立刻停步，在小郭身後用力推小郭，推得小郭幾乎跌倒，小郭還沒有站穩，就大叫道：『冤枉！』

接下來發生的事情相當滑稽，不過也在我和白素的意料之中。只聽得天嘉土王怒喝道：『叫你嚴守秘密，你答應了的！』

小郭轉過身來，面對天嘉土王，大聲道：『我沒有毀約！』

天嘉土王更怒：『那他們怎麼會知道是我？』

小郭的回答非常有趣：『因為他們是衛斯理和白素！』

而天嘉土王居然也接受了小郭這樣的解釋，怒氣稍息，除下了黑眼鏡，向我們望來。

我和白素本來因為他們的對話，使人覺得有趣，所以笑嘻嘻地望著天嘉土王，然而當天嘉土王除了黑眼鏡之後，我們可以看清楚他的一半臉之後，我和白素剎那之間笑容凝結在臉上，一時之間無法作別的反應。

天嘉土王（那人當然是天嘉土王）和我上次一起通過『天神考

驗』到現在，只不過是幾年工夫。而他正當盛年，王位穩固。而且在通過考驗的時候，他非常深刻的瞭解到人民的意願可以決定他的去留生死，所以他的施政行為，和通過考驗之前，有很大的區別，得到了更多的擁護。

（只有在權力來自人民的情形下，當權者才會為人民著想，投人民所好。）

（權力如果不是來自人民的選擇，侈言『為人民服務』，對人民來說，只是可怕之極的魔咒！）

天嘉土王政通人和，照說應該容光煥發才對，可是這時候在正常的燈光之下，他露出來的半邊臉，卻是其色灰敗，猶如死人。更令人吃驚的是他雙目深陷，眼眶之中，好像沒有眼珠——事實是他的眼睛一點光采都沒有，所以才給人這樣的感覺。

若不是他剛才是走著進來，而且曾開口講過話，我一定以為那是一具殭屍，而非生人。

毫無疑問，天嘉土王變成這樣的原因，是因為他患了重病，而病症之中能將人折磨成如此可怕程度的，只有癌症。

癌症在人類之中，逐漸普遍，天嘉土王就算生了癌，也不是奇怪的事情，然而我卻知道，天嘉土王早就和勒曼醫院有聯繫，有什麼癌症是勒曼醫院治不好的？

他為什麼不去勒曼醫院就醫，而使自己變得這般模樣——這種樣子，如何見他的子民，如何處理國家大事？

我知道其中一定有非常的理由，一時之間也無法設想。雖然明知道非常不禮貌，可是還是只能盯著他看，目光竟然無法從他的臉上移開。

天嘉土王顯然對自己的情況非常瞭解，他現出了一個十分苦澀的笑容，伸手將帽子除了下來。

帽子一脫，我和白素都不由自主發出了一下難以名狀的聲音。天嘉土王頭上，頭髮稀稀落落，大約只剩下原來的一成左右。這種情形，一看就知道是化學治療醫治癌症的結果。

我更是怪異莫名，立刻大聲道：『怎麼一回事？勒曼醫院關閉了嗎？』

天嘉土王十分軟弱地搖了搖頭，小郭過去扶他走了幾步，坐了下來。他的這種狀況，絕對是癌症已經到了末期，別看他現在還能動能說，事實上生命卻是隨時可以結束！

我更是大惑不解，向白素望去，她也神情疑惑，這種古怪的情形，想發問也無從問起。我感到目前最重要的是挽救天嘉土王的生命，所以我道：『和勒曼醫院聯絡，我立刻和他們聯絡！』

天嘉土王又搖了搖頭，我提高了聲音：『是癌症吧，就算你五臟六腑全都壞了，最多換一個身體——相信勒曼醫院內，一定有你的備用身體在！』

天嘉土王長長地嘆了一口氣，神情有些不耐煩，頓足道：『現在別說這些，這些我都知道，現在最要緊是趕快找到齊白，趕快找到齊白！』

我和白素互望了一眼，都不知道他已經到了生死關頭，為什麼還要找齊白？我在瞬間想到的是：他要找齊白，莫非是知道齊白和陰間的關係，好在他死了之後，將他的靈魂，通過齊白，引渡到陰間去？

土王又嘆了一口氣，聲音虛弱，道：『我身體的情形非常糟糕，糟糕之極……』

他說到這裡，忽然提高了聲音，道：『我的身體狀況是極端的秘密，請絕對不要傳開去！』

我本來想損他一句：『不，我準備開記者會公佈你的狀況。』可是看到他的情形，這種話當然說不出口，我點了點頭，道：『你放心。』

天嘉土王如今的狀況，如果一公開，必然發生的是土王的王位爭奪戰，那可以是非常可怕的內亂，對他的國家來說，是一場巨大的災禍，所以必須保持秘密。

然而天嘉土王面臨死亡，他死了之後，災禍還是會發生。在死亡邊緣，他不去找最有辦法的勒曼醫院，卻急著找齊白，真是莫名其妙至於極點！

我這時候只覺得天嘉土王的精神狀況，可能已經是處於死亡前的昏亂狀態，而白素也一樣不知道土王何以要找齊白，可是她卻相信天嘉土王一定有他的理由。所以白素的反應和我不同，她很認真地道：『我立刻設法和李宣宣聯絡，聯絡上李宣宣，就一定可以找到齊白。』

我望向白素，神情疑惑，李宣宣這個『陰間使者』確然曾經說過，只要白素想要她出現，她就會接收到白素腦部傳送出去的訊號，立刻可以突破空間，出現在白素面前——以前確然有好幾次這樣的情形。

可是自從在天嘉土王那裡見過齊白不堪的行為之後，白素再努力，李宣宣還是沒有出現過，這時候白素這樣說，難道她有成功的把握？

白素輕嘆一聲，神情非常認真，道：『我沒有成功的把握，可是我保證努力，將我要求和她聯絡的願望，化為強烈的訊號傳送出去，希望她能夠接收到。』

天嘉土王滿臉感激，甚至於搖搖晃晃站了起來，向白素一鞠躬，白素還禮，轉身向樓上走去，在樓梯上她道：『請將閣下必須找齊白的原因告訴衛斯理。』

土王連連點頭，白素上樓，進了書房。

我知道白素一定集中注意力，想著要和李宣宣聯絡。然而在這種方法不能成功之後，我和白素分析過，一定是齊白和李宣宣在陰間發生了什麼異常的事故，也有可能整個陰間起了意想不到的變化，所以才會如此。

那麼，這次白素的努力，也難以成功。

我們也曾經推測過，由於陰間的出現，原因非常複雜，起因是由於某一個星球的宇宙航行組在地球發生了意外，這一組四個宇宙航行員分成了兩部份——其中一二三號是一部份，四號是另一部份。四號堅決不肯歸隊，形成了對那個星球來說是背叛的行為，那個星球派人到地球尋找，派來的據稱是高級人士，在地球上化名狄可，我曾經和他打過交道。

而陰間是一二三號憑藉大半部該星球創造的『思想儀』建立的，集中了許多（難以數計）的地球人靈魂，情況非常詭異。

這一切，我都記述在幾個故事之中，那幾個故事，被對我的故事感興趣的朋友稱為『陰間系列』，這個故事和陰間也大有關係，而且對以前幾個相關的故事來說，有一定程度的發展，所以也可以算是屬於這個系列。

由於長期無法聯絡到齊白和李宣宣，所以我揣測那個陰間一定發生了什麼變化，而那個『四號』，也長久音訊杳然，也不知道狄可有沒有找到他。

總之這個星球（李宣宣曾經稱它為『陰星』）上的外星人，在地球上最近有些什麼活動，我一無所知。直到這時候天嘉土王要來找齊白。

叫人生氣的是，天嘉土王為什麼要找齊白，我也不知道——從目前的情形來看，天嘉土王找齊白，顯然是為了要齊白救他，然而齊白怎麼能夠救他，我一點頭緒都沒有。

白素上了樓，剩下三人之間，有一個短暫時間的沉默，天嘉土王先開口，道：『我一向以為自己身體很好，健康完全不是問題，誰知道突然發病……』

他說到這裡，頓了一頓，神情不勝悲傷。

我自然而然搖頭，因為在天嘉土王身上，不應該出現他所說的情形。因為就算他自己不以為意，在他的身邊，也不知道有多少醫生在，更何況他和勒曼醫院有聯絡，若是患癌症，一開始就會發覺，何至於發展到了末期！

土王看到了我的反應，也搖頭苦笑：『連我自己都不相信，開始時，由於有突如其來的頭痛，詳細檢查的結果，是腦部有微小的腫瘤，我立刻和勒曼醫院聯絡。』

天嘉土王對自己的健康出現問題，處理得非常果斷，一查出腦部有腫瘤，他就立刻找勒曼醫院——這行動非常正確，因為在地球上，勒曼醫院是最好的，他既然有這個條件，當然要勒曼醫院。

勒曼醫院的回答很輕鬆：『閣下腦部有瘤？沒有問題，隨時歡迎閣下前來，來之前通知我們，會派員迎接。』

天嘉土王在大約十天之後，到了勒曼醫院。

那十天，天嘉土王佈置了必須的工作，保證他在醫院期間，他的王位不會有問題。

他到了勒曼醫院，想都沒有想過，勒曼醫院會對他的病沒有辦法醫治！

（我又大搖其頭，覺得天嘉土王的敘述，簡直不可思議——勒曼醫院怎麼會沒有辦法？再簡單不過，替他換一個身體，問題立刻解決了。）

（就算天嘉土王身體的ＤＮＡ決定他在五十八歲那年要患腦癌，那就給他換一個三十八歲時的身體好了，至少可以過二十年，大不了二十年之後再換身體！）

（我雖然搖頭，可是我並沒有打斷天嘉土王的敘述，因為現在事實是勒曼醫院沒有辦法，其中必然有我無法想像的原因在，土王一定會說出來，我不必性急。）

勒曼醫院方面先替天嘉土王檢查，檢查的結果非常意外，從天嘉土王帶來的醫生檢查報告來看，當時只不過發現了微小的腫瘤，可是十天之後，勒曼醫院檢查的結果，卻是腫瘤的體積增加了好幾十倍，而且數字極多，已經到了死亡邊緣！

只不過十天時間，就有了這樣嚴重的變化，實在令人吃驚。

可是在勒曼醫院向天嘉土王說明這種檢查結果的時候，雙方心情都還是很輕鬆。

天嘉土王聽到自己危在旦夕，哈哈大笑，道：『移植腦部？』

勒曼醫院負責照顧他的醫生搖頭：『癌細胞已經大量侵入淋巴系統，閣下整個身體都報廢了。』

天嘉土王還很高興，揮了揮手，大聲道：『那就整個身體都換新的！』

他當時想到自己可以有這樣的經歷，非常之興高采烈。

醫生點頭，立刻安排。

換身體的詳細內容如何，天嘉土王當然不知道，我也不知道，只知道是將舊身體和靈魂分離，然後使靈魂進入新的身體之內。聽起來很簡單，天知道其間過程是如何複雜。

我知道勒曼醫院能夠進行這樣的『手術』，能夠使人腦部記憶組離開身體，他們也有後備的身體——當年原振俠和年輕人都曾經經過這樣的『手術』，而浪子高達更將自己一分為二，一個去追求天長地久的愛情，一個依然在脂粉叢中遊戲人生。

所以換身體對勒曼醫院來說，完全不是問題。醫生甚至要天嘉土王選擇在進行的時候，要麻醉還是不麻醉。

天嘉土王選擇了不麻醉，他想感受一下靈魂離開舊身體、進入新身體那種難得的經歷。

於是他被帶到了『手術室』，裡面的那些儀器，看得天嘉土王眼花繚亂，他也沒有興趣去研究它們。立刻吸引了他視線的是，他看到了躺在一個凹槽之中，身體上，特別是頭部有許多金屬線連接著的他的後備身體。

天嘉土王走近去仔細觀看，可以看到他的後備身體因為呼吸而胸脯微微起伏，他也可以看到，那身體接近完美，看起來比他三十歲左右健康狀況頂峰時期還要好。

他又看到，那後備人的眼睛半開半閉，雙眼之中一點神采都沒有，雖然可以看到眼珠，可是給人的感覺卻是一片空白——這正反映後備人腦部的狀況：完全空白。

天嘉土王知道，自己的思想和記憶，將會移送進入這個後備人的腦部，從此之後，這個後備人就是自己了！

他感到了生命的奇妙，一陣激動，在他身旁的醫生（應該是外星人）對他道：『雖然你選擇不必麻醉，可是在記憶組轉移的過程中，你並不是處於清醒狀態……情形有些像做夢……』

顯然是由於情形很難解釋，所以醫生說來，並不是很流暢。

天嘉土王由衷感激，道：『太偉大了！我對你們有絕對的信心，不必理會我的感覺，只管進行！』

勒曼醫院方面卻十分負責，繼續解釋：『情形……情形很像人在半睡半醒的狀態，可以隱約聽到聲音——請注意，不論聽到什麼聲音，都不要放在心上，更不要企圖去瞭解那是什麼聲音，在轉移過程中閣下必須什麼都不去想！』

天嘉土王知道這些話一定很重要，所以他連連點頭。

醫生又道：『現在你看到的後備身體，是你三十歲時候的狀態，由於你是一國之主，不能忽然變得年輕……那太令人駭異了，所以當你記憶組轉移到新的身體之後，我們會處理，令新的身體看起來是五十歲左右。』

天嘉土王感動得說不出話來。在那時候，他感到極度滿足，覺得生命從來沒有那麼美好過！他也知道，在超過六十億地球人之中，能夠享受他這種生命奇蹟的，不會超過六十個。

這又使他極端飄飄然，感到自己高人不止一等，而是高出許多許多的地位。

我將天嘉土王敘述他當時的感覺記述得比較詳細，是由於可以將他那種飄飄然的感覺，和他以後的失望絕望作一個對比。

而天嘉土王當時的那種感覺——靠大量的金錢，靠外星人的力量，達到生命延續之目的，這種行為，我並不認為可以歸入高尚那一邊。

當醫生向天嘉土王解釋明白之後，就請他躺進那後備人旁邊的凹槽之中，然後一具儀器移到了凹槽之上，像是裝嵌電腦一樣，儀器不斷移動，從中伸出許多金屬線，插進土王身體的各個部份，在頭部的更多，至少上百。

在這個過程中，天嘉土王完全清醒，他可以感到細細的金屬線插進頭殼，直達腦部時的那種奇異感覺，也可以看到金屬線在他眼前閃閃發光。

然後不知道從什麼時候開始，他就進入了一種模模糊糊的狀態，他知道自己很快可以獲得新的身體，所以思緒非常安詳——他甚至於對於能夠控制心情的興奮而感到自傲。

可是漸漸地他卻覺得事情不是很對勁，他聽到了一陣又一陣嘈雜的聲音，好像是有許多人在講話，而那些人講的話，他又一句都聽不懂。

那種情形，天嘉土王形容得很貼切，他說，那好像是在手術室中進行手術時，病人突然大量出血時醫生護士緊急搶救無效的那種混亂。

不過天嘉土王記得醫生說過，不論聽到什麼聲音，都不要在意，想來是在思想組轉移的過程之中，思想不能受到外來力量干預的緣故，所以他儘量保持鎮定。

又過了不知道多久，忽然靜了下來，然後又是一陣許多人的說話聲——這種情形連續了好幾次，天嘉土王就失去了知覺。

等到他知覺恢復時，聽到醫生就在他耳邊道：『請坐起來。』

這時候天嘉土王再也不能抑制內心的極度興奮，他立刻睜大眼睛，一挺身，在凹槽之中，坐直了身子，而且同時發出了一下歡呼聲。

然而那一下歡呼聲的尾音還沒有完全發出來，就噎在喉嚨之中，成了一下聽起來非常古怪的聲響。

他看到周圍的情形，非常之不對頭！

他的身上雖然已經沒有了金屬線，可是他的視線首先接觸到的是他身邊的凹槽，在那凹槽之中躺著的，還是那個後備人年輕的身體。

他接著看到的是在他周圍的人，人人都神色凝重，那個醫生離他最近，更是哭喪著臉，一副不知道該如何開口說話的樣子。

這種情形，看在眼裡，天嘉土王雖然不知道發生了什麼事情，可是也立刻可以肯定：絕對不會是什麼好事！

剎那之間，他整個人（包括靈魂在內）從天堂掉進了地獄，他張大了口，想問是怎麼一回事，可是卻一點聲音都發不出來。

就在這時候，那醫生聲音苦澀，向他攤了攤手，道：『對不起，我們不能將閣下的記憶組轉移。』

天嘉土王雖然已經看到自己並沒有換身體，可是醫生的話，還是給了他極度的刺激，他像是一顆突然爆炸的炸彈，整個人跳了起來，雙手立刻叉住了那醫生的頸，大聲吼叫——連他自己，都不知道在叫罵些什麼！

剛才他還以能夠控制自己興奮的情緒而自傲，而這時候他的情緒已經完全失控！

天嘉土王這時候有這樣激烈的反應，其實很正常，任何人在這種情形下，都會有同樣的行動。

土王真的是想將那個醫生掐死！

不過他當然沒有達到目的。

兩個人過來抱住了土王，將他拉開，土王很快的就鎮定了下來，當然不是他自己控制情緒的結果——勒曼醫院雖然未能成功轉移他的記憶組，可是要使他鎮定，還是綽綽有餘。

天嘉土王覺得全身乏力，他被扶著坐了下來之後，才有氣無力地問：『不能將我的記憶組轉移，是什麼意思？』

人人面面相覷，土王聲嘶力竭：『告訴我！』

那醫生嘆了一口氣，將手按在天嘉土王的手背上，道：『我們用盡了方法，無法使你的記憶組離開你的腦部組織。』

醫生的話說得非常明白，天嘉土王在這時候，竟然莫名其妙地笑起來，道：『為什麼？我不是地球人？我的腦部組織和別人不一樣？你們試了多少次？』

他問了一連串的問題，那醫生嘆了一口氣，回答：『我們總共試了十七次，都無法成功，你的腦部組織，完全屬於地球人，和別人一樣，可是在你腦部，記憶存在的部份，保留和發展記憶的腦部細胞之中，每一個細胞都有記憶組不能離開腦部的記憶。這種記憶強烈無比，和細胞的脫氧核糖核酸結合在一起，堅決拒絕記憶組的轉移，我們試圖消除這種記憶，發覺這種記憶來自你的遺傳基因，是你腦部細胞的一個組成部份，無法消除，所以，你的記憶組，就無法轉移。』

這番解釋，很是複雜，土王這時候心情更是壞到了極點——又驚又懼，想到自己無法轉換身體，也就是說，要面臨死亡，什麼權位財富，都化為烏有，心頭和頭部一陣陣絞痛，如何可以明白這樣複雜的事情！

（在天嘉土王敘述經過的時候，說到勒曼醫院解釋何以他的記憶組無法轉移的原因，我和白素也在聽了之後要好好想一想才能弄清楚——也還不是徹底瞭解。）

當時天嘉土王只是張大了口，出氣多，入氣少，連發出問題的能力都沒有。

那醫生也看出天嘉土王這樣的反應，是他對自己腦部這種特殊情形，還不是很瞭解，所以進一步補充道：『你這種情形，特別之極，我們在地球上研究了地球人那麼久，還沒有發現過和你相同的例子。』

（我和白素互望了一眼，心中想的都是同一件事：天嘉土王會不會是外星人，或者像我以前認識的那個外星人和地球人的混血兒？）

天嘉土王在那時候，居然也問了一句：『我是外星人？』

他得到的回答是：『你絕對是地球人，我們對你進行了徹底的檢查和鑑定，你絕對是地球人。你的情況特殊，是由於有人對你的腦部動了手腳——』

他說到這裡，頓了一頓，道：『應該說，在不知道多少年以前，有人對你的祖先的腦部動了手腳，使記憶組不能離開腦部成為一種基因，這種基因通過遺傳，一代一代傳下來，沒有任何力量——至少我們認為沒有任何力量可以改變這種情況。』

天嘉土王勉力使自己鎮定，儘量弄清楚自己的處境，他說話如同呻吟，問道：『那我怎麼辦？』

他的這個問題，竟然沒有人回答，『手術室』之中，是一片死寂！

天嘉土王叫起來：『你們不是外星人嗎？而且不只是一個外星，怎麼會沒有辦法？』

那醫生嘆了一口氣：『我們聯絡過超過一百個外星人，沒有一個知道、甚至於聽說過有這樣的情形——我們假設當年動手腳的，當然是外星人，他們到過地球，又離開了，宇宙廣闊，實在難以找到他們。』

（我在聽到這裡的時候，心中一動，依稀好像想到了一些什麼，可是又沒有具體印象。）

土王驚怒交集：『那個鬼外星人為什麼要對我祖先腦部動手腳，而且使它遺傳下來？』

天嘉土王這樣問，其實一點意義都沒有，只不過是一種情緒的發洩而已，就像是人在遭遇到極大的苦難時，會問老天為什麼要這樣對待他一樣。

可是出乎意料之外，這樣沒有意義的一個問題，居然立刻有答案，那醫生道：『我們推測，當年那種外星人對你的祖先這樣做，是為了讓你的祖先成為一個部落的領袖，而且領袖的地位世代相傳，閣下土王的王位，就是這樣來的。』

天嘉土王大聲道：『難道我死了之後，繼任者的情形也會和我一樣？』

那醫生道：『只要繼任者來自你的家族，就有同樣的遺傳——我們已經對王族上下，兩百多人的腦細胞進行了檢查，情況和你完全一樣。』

天嘉土王大搖其頭：『我來到才多久？你們哪有時間做這許多事情！』

那醫生嘆了一口氣：『閣下來到這裡，今天是第四十天了。』

天嘉土王僵住了作聲不得——他曾經喪失知覺，又醒來，不知道時間，只當是一會兒，卻已經是四十天了！

天嘉土王當真是心灰意懶至於極點——勒曼醫院經過了四十天的努力，沒有辦法。

那是真正的沒有辦法了！

他軟癱在椅子上，一動不動。

那醫生看來也不知道該說什麼才好，僵了好一會，天嘉土王才問：『我還能在位多久？』

那醫生卻沒有回答這個問題，只是自顧自繼續剛才的話題：『我們又推斷，當年那種外星人在選擇領袖時，要在領袖腦部植入不允許記憶組脫離腦組織的原因，是由於要地球人的記憶組離開身體是相當容易的事情——這種離開就是地球人心目中的死亡。而且記憶組容易離開身體，就等於人的思想容易為他人所偵知。那種外星人一定不想所選擇的領袖，有這種缺點，所以才這樣做，而且使這種情形世代遺傳，因為他們知道在地球上，領袖地位是家族傳下去的，那就可以保證領袖的思想，永遠不能為他人所察。』

我不知道當時天嘉土王在聽到了這一大段話之後，能夠理解多少，反應又是如何。我在聽天嘉土王敘述的時候，卻暗暗心驚！因為當時那醫生所說的這番話，我聽來對他所說的那種情形，有非常熟悉之感。

而且我立刻想到我為什麼會有這樣的感覺——那和我過去的一些經歷有關。

那些經歷，我都記述在幾個和陰間有關的故事（所謂『陰間系列』）之中。

那醫生說：人類記憶組容易脫離腦部組織。

情況確然如此，我就知道，陰間主人所屬那個星體創造的『思想儀』，其中一個部件就有這樣的能力，可以在剎那之間，使人的記憶組（靈魂）離體，造成死亡現象。

那醫生說：記憶組容易脫離腦部，思想就非常容易被他人偵知。

事實是，陰間主人通過思想儀，可以輕而易舉捕捉人的思想，甚至於思想儀的一些部件，也有同樣的功用。

那醫生說：不想被選擇的領袖，思想為人家知道，所以才進行記憶組不能脫離腦部組織的功能植入。

這種情形也容易理解——思想為他人所知，等於受他人控制，受他人控制者，當然不配做領袖，只能成為奴隸。

所以要培養大批奴隸，就有『思想改造』這種事情的發明——將人的思想改造成為奴隸思想。

那醫生說：當年那種外星人知道在地球上，領袖的地位，是世代在家族中傳下去的，當然是當時地球上的實際狀況。那種外星人不知道地球人也有進步的一面，進步到今天，有民主選舉的發生——雖然還有一半地區維持世代相傳的黑暗，但至少有一半地方是人民選擇的光明。

我在聽了那一番話之後，感觸良多，同時也隱約知道了天嘉土王為什麼在勒曼醫院換身體失敗之後，急於要找齊白的理由了——設想他知道齊白和陰間的關係，自然也可以知道陰間有能夠使靈魂離體的能力。

天嘉土王現在最大的困擾，是靈魂無法離體——這本來是他成為卓越領袖的優越處，而如今卻使他無法轉換身體。

所以他想到了齊白。

我的這種初步推測，並不完全準確，大約準確程度只有百分之八十，天嘉土王要找齊白的主要原因，不是他自己說出來，我實在沒有辦法料得到。

當時，天嘉土王沒有理會那醫生大篇的解釋，只是再一次問：『我還能在位多久？』

他把這個問題重複了兩次，他問的不是『我還能活多久』，而是『我還能在位多久』，由此可知在他心目之中，他的王位，地位還在他的生命之上，至少，王位和生命是結合在一起，是不可分割的兩位一體。

那醫生的回答使土王絕望：『我們儘量努力，減慢癌細胞擴展的速度……這是我們能夠做到的……想不到我們多年來的努力，還會出現這樣的挫敗……』

天嘉土王沒有理會勒曼醫院方面因為無法轉移他記憶組而帶來的失敗沮喪，他第三次發出了同樣的問題。

那醫生說：『接受一些原始的治療方法……三個月……』

聽到了『三個月』，天嘉土王自然而然閉上了眼睛，就在這時候他想起了齊白。

一想起齊白，本來已經完全沒有希望，眼前一片漆黑的他，突然看到了一片光亮，他陡然睜開眼，霍然起立，疾聲問道：『如果有人能夠使我靈魂離體，是不是就可以進行身體轉換？』

所有人，本來都和那醫生一樣，因為失敗而很無奈，這時候聽得天嘉土王這樣問，精神為之一振，那醫生立刻回答：『當然可以，只要能夠使你腦部的記憶組分離，那是很簡單的事情。』

天嘉土王急速地喘氣。那醫生追問：『誰？誰有這樣的能力？誰能夠將腦細胞之中的遺傳基因分割開來而消除其中一部份？超過七十億腦細胞，每個都要進行這樣的分割，我們連一個都做不到，誰有這樣的能力？』

土王根本沒有聽懂那醫生的問題，他只是想到了齊白。

當他敘述到了他想到齊白，就以為自己有救時，我知道他是真的這樣以為，我不由自主搖頭。

因為雖然我知道齊白和陰間的關係，陰間和人類靈魂確然密切有關，但即使陰間主人，一二三號出馬，也未必可以解決勒曼醫院不能解決的問題。

和靈魂離體最有關連的是那具思想儀，思想儀即使完整，能不能破解天嘉土王腦部的防止記憶組脫離的基因，尚且不能肯定，何況思想儀分成了兩部份，難以完整。

所以我認為就算找到了齊白，也沒有用處。我不但搖頭，而且實話實說，道：『如果你以為由於齊白和陰間有關係，就可以做到勒曼醫院做不到的事情，恐怕是你一廂情願。』

為了避免他由於失望而激動，所以我將話說得儘量婉轉。可是天嘉土王在聽了我的話之後的反應，還是出乎意料之外。

他睜大了眼睛，一臉大惑不解的神色，先是怔了一怔，隨即問：『你說什麼？陰間？齊白和陰間有關係？那是什麼意思？你究竟在說什麼？』

這次輪到我大惑不解了！

看這情形，天嘉土王顯然不知道齊白的身份，他既然不知道齊白和陰間的關係，又為什麼要找齊白？

我揮著手——要向他解釋說明齊白和陰間的關係，事情經過太複雜了，不是三言兩語說得清楚的，所以我直接問他：『先別理會我的話，你何以認為齊白可以救你？』

他要找齊白，當然是認為齊白可以救他，他為什麼會這樣認為？

土王在我的追問之下，神情有些猶豫，他遲疑片刻，反問我：『你還記得上次你陪我通過天神考驗的時候，見過齊白——』

他說到這裏，我突然想起了一些事情，不由自主發出了一下呼叫聲——我有一個毛病，思想有些不受控制，經常胡思亂想，不知道會想到什麼地方去，和正在與人交談的事情，可能完全沒有關係。這時候情形就是那樣。

是天嘉土王說起我陪他『通過天神考驗』引起我突然的聯想，我想到在那個土王通過考驗的山洞中奇異的景象——其中一切設施，包括接收全體民眾想法，顯示出來的儀器裝置，顯然都是外星人的傑作。

這種情形，說明曾有外星人降臨過土王的國度，而且有相當長時間的逗留，因而長期以來，形成民眾和王族堅決信奉的天神。

而當然，當然，勒曼醫院所說，在土王腦部，植入記憶組不能脫離腦部的基因者，就是被稱為天神的那種外星人！

由此可知勒曼醫院的推測正確。

我更進一步聯想到，這種『天神』，精於研究人類的記憶組（靈魂），和建立陰間的『一二三號』、『四號』和狄可他們，很有異曲同工之處，會不會根本是同一類外星人？

由於我是突然之間想到這些的，所以只涉及皮毛，未能很深入地去聯想。但是就是想到這些，也使我感到這種發現可能深入探討下去，可以有很驚人的發展。

所以我才會不由自主叫了起來。天嘉土王當然不知道我為什麼會這樣——當時如果白素在一旁的話，她就一定會知道我想到了一些什麼的。

天嘉土王當時望著我，我向他做了一個手勢，示意他不必理我，只管繼續說下去。土王吸了一口氣，道：『那時，齊白他苦苦求我一件事，我沒有答應他。』

他說著，向我投以詢問的眼色，像是在問我是否記得當時的情形。我輕輕哼了一聲，當時齊白的行為，我印象再深刻不過。而且事後，我對於齊白究竟向土王要求什麼，做了許多設想，都沒有結果，怎麼會不記得？

我向土王點了點頭，同時心中十分奇怪，不知道他在如今提起這件事情是什麼意思，難道當年這件事情，竟然會和如今的事件有關係？

我急於想知道其中緣由，所以沒有發問，以免打斷土王的話頭。土王嘆了一口氣，又苦笑，道：『當時我實在沒有可能答應他的要求──別說我根本不認識他，就算是我最親的親人，向我提出這樣的要求，我也不會答應！』

他說到這裡，頓了一頓，聲音變得很尖銳：『當時聽來，真是荒唐到了極點──他竟然要求我把我的靈魂借給他去做一件事！』

我本來是坐著的，一聽得天嘉土王說出當年齊白對他的要求，我陡然站了起來！

土王說得很清楚，我不可能聽錯，可是我還是以為自己的耳朵出了毛病！

難怪我無論如何設想，都無法想出齊白向土王要求什麼了──天下哪有這樣滑稽荒唐的要求！拿這種要求去求任何人，都不可能成功！

『借靈魂去做一件事』！

再白癡的白癡，也不會向人家提出這樣的要求來的！

齊白不知道是吃錯了什麼藥，才會想財富、權位兼有的天嘉土王將靈魂借給他！

天嘉土王拒絕齊白的要求，是絕對正常的反應——靈魂如何能夠借給別人？就算能夠，借出靈魂的人，豈不是要喪失性命嗎？

這種要求，簡直是沒有言語文字可以形容的荒謬！

齊白顯然也知道這種要求，成功的可能性等於零，所以他才在請求的時候如此連人格都不顧，以求萬一。

他當然沒有成功。

這時候我思緒紊亂之極——不單是知道了當年齊白的要求是如此荒唐，而且想起了當時的很多情形。

當時齊白曾經說過，他要求天嘉土王做的事情，全世界只有天嘉土王才能做得到——那也就是說，這件事情，只有天嘉土王的靈魂才能做到。

人的靈魂能做什麼事情呢？

而世界上有那麼多人，何以齊白能夠知道只有天嘉土王的靈魂最合用？

是不是齊白通過了陰間的什麼寶物（能夠測試靈魂功能的儀器），知道了天嘉土王的靈魂與眾不同，具有特異功能？

而陰間有的是可以使人靈魂離開身體的本領，齊白可以直接行使這種本領，取得天嘉土王的靈魂，何必要向土王商借？

而齊白既然如此急切想要成功，又為什麼不將他自己和陰間的關係告訴土王？

種種疑問，紛至沓來，沒有一個是有道理的，完全沒有起碼的邏輯，都莫名其妙至於極點！

想問，也不知道從何問起。

我勉力定了定神，在這樣的紊亂之中，總算理出了最重要的一點，我吸了一口氣，問道：『齊白他要借閣下的靈魂，去做什麼事情？』

天嘉土王苦笑：『我當然曾經問過他，可是他不肯說。』

我真是啼笑皆非，道：『這像話嗎？就算向人家借錢，也要說一下錢是做什麼用的吧！』

天嘉土王攤了攤手，顯然他對齊白的行為，根本無法理解，也當然難以作出評論。

而這時候，我看到天嘉土王神色痛苦，而且很有後悔的樣子，我腦中靈光一閃，明白了他何以要找齊白的原因了！

和我以前的設想有些不同。

天嘉土王想到齊白可能救他的原因，其實也非常不切實際，而且相當可笑。他想到的是：齊白既然向他借靈魂，自然應該有辦法將他的靈魂拿走。要將靈魂拿走，當然得使靈魂離開身體。

而目前，他最大的問題就是靈魂無法離開身體——如果可以的話，他就能夠換身體了！

對他來說，沒有比這個更重要的事情了！

即使齊白還是要借他的靈魂去辦事，只要能夠使靈魂離體，他也肯答應。

而這時候他有後悔的神情，顯然是在後悔當年沒有答應齊白的要求，他想到的是：當年如果答應，靈魂離開身體一次，就可以有第二次，那麼早已換身體成功，何至於落到如今這樣悲慘等死的地步！

我可以很正確的揣測天嘉土王的想法，那並不等於天嘉土王的想法有道理，那只是他的一廂情願而已，情況如要溺死的人，抓著一根稻草就以為可以活命一樣。

然而天嘉土王的這種想法，也不是完全沒有作用。

至少，『齊白要借靈魂，就應該能夠有辦法拿走靈魂』的設想，可以成立。

從當年的情形來看，齊白要借靈魂這件事情，對齊白來說顯然重要之極，那麼現在，天嘉土王如果說願意借出靈魂，對齊白就有很大的吸引力。

從那時候開始，我就沒有能夠聯絡上齊白，現在是不是可以憑這一點將齊白引出來呢？

我很有些感到自己的思路，和天嘉土王差不多紊亂，可是無論如何值得試一試。

我很認真的問土王：『現在你願意將靈魂借給齊白？』

天嘉土王連想都不想，就道：『我那麼急於想找他出來，就是想告訴他：我願意！』

我很是啼笑皆非：這『我願意』，在婚禮上聽新人說來，何等甜蜜溫馨，可是這時候聽天嘉土王說來，卻是悽酸非常，充滿悲情。

我望著他，又問了一句：『你甚至不知道他要你的靈魂來做什麼事情，你都願意？』

土王大聲道：『都願意！』

他這時候的情形，看來別說是要他出借靈魂，就算要他出賣靈魂，他也會立刻答應！若說是『英雄末路』，莫此為甚了。

我告訴他自從那次之後，就無法和齊白聯絡，現在希望將他願意借出靈魂的訊息傳達出去，能夠吸引齊白現身。

天嘉土王像是他已經得救了一樣，連聲道：『告訴他，不論他要我的靈魂去做什麼事情，我都答應！』

我暗暗搖頭，怕死是人之常情，尤其是像土王那種享盡了榮華富貴的人，更是怕死，可是到如今土王那種程度，卻也罕見。

我忍不住刺激他：『人這種生命形式，是無法避免死亡的。』

我記得曾經在勒曼醫院替原振俠和年輕人換了身體之後，和他們討論過，人是不是可以通過不斷轉換身體而達到永遠不會死亡的境界。

勒曼醫院的回答是否定的。

勒曼醫院說，他們不認為地球人有永遠不會死亡這件事，通過轉換身體，獲得多幾十年生命，這種情形，他們沒有為任何人進行過第二次同樣的『手術』。而對我追問為什麼只進行一次而不進行第二次，他們卻拒絕回答。

以我和勒曼醫院的關係，他們尚且在這個問題上不肯回答，那一定是人類記憶組只可以轉移一次，如果轉移第二次，就可能有我所難以想像的可怕情況出現，所以他們才不想讓我知道。外星人行事，在我看來，總不免有些鬼頭鬼腦，這只不過是其中的一個例子而已。

故此，我向土王所說的這句話可以成立。我準備土王如果說可以不斷將記憶組轉移，我就將勒曼醫院的結論告訴他，好讓他知道，就算一次記憶組轉移成功，至多不過多幾十年而已，不可能不死亡的。

土王聽了我的話，望著我，他的神情非常可怖，顯得他內心有極度的恐懼，而他接下來所說的那句話，更是完完全全出乎我的意料之外！

他用發顫的聲音道：『衛斯理，你怎麼不明白，我並不是怕死啊！』

我怔了一怔，一時之間不知道如何反應才好。

他不怕死？那麼他怕什麼？

天嘉土王雙手掩住了臉，聲音嗚咽：『我不是怕死，是怕死了之後啊！』

我更加莫名其妙——死都死了，還有什麼可怕的？

我剛想問，就有一隻手輕輕放在我的肩上，立刻知道那是白素，我反手將手按在她的手背上。

白素是什麼時候從樓上下來的，我並沒有注意。她在我耳邊低聲道：『想想，如果靈魂不能離開，人死了之後會怎樣？』

我陡然吃驚，是的，我沒有想到這一點：以天嘉土王現在的情形，他死了之後會怎麼樣呢？

不論根據宗教信仰，還是民間傳說，甚至於古今筆記關於死亡的記載，以及我許多有關靈魂的故事中所設想的情形，都有一個共通點。

那共通點就是：人在死了之後，靈魂和身體就分離了。

而靈魂和身體分離之後的情形如何，也是各憑設想：或上天堂，或下地獄，或進入各種各樣的陰間（包括一二三號建立的），或變成遊魂野鬼沒有著落不時出來嚇人，或投胎重新做人，或墮入六畜道，或進入其他人的身體（如黃老四變成陳安安）……

種種情形都和天嘉土王不同——天嘉土王靈魂不能離開，他死了之後，他的靈魂還在他的腦部，他腦部每一個細胞都死了，他的記憶組還是留在死去的細胞之中。細胞腐化，變成了不知道什麼東西，但就算變成了分子、原子……或者更小的不知道什麼，由於靈魂根本沒有體積，就還是在其中，脫離不了！

那是永遠的、無窮無盡的禁錮——他的靈魂永遠擺脫不了這種禁錮！

在我的經歷之中，只有一樁和這種情形類似——一個靈魂被困在一塊木炭內，不斷發出『放我出來』的訊號。後來這塊木炭被燒成了灰，也不知道那靈魂究竟怎麼樣了。

天嘉土王的情形，似乎更加糟糕，他的靈魂會被困在自己的腦細胞之中，很難想像全部靈魂是困在一個細胞中，還是將靈魂分成六十億份，每一個腦細胞分上一份？

對於這種情形，連想對他說幾句安慰的話都沒有法子說得出口。他快要死了，可以對他說：這是沒有辦法的事情，人人都難免一死。可是並不是人人死了之後，靈魂和身體無法分離的。

想到了這種情形，我向他望去，說不出話來。

反而倒是他還能說話——在這種難以形容的狀況下，天嘉土王他居然還沒有徹底全面崩潰，真不是容易的事情！

他道：『我當然不想死，可是如果死亡是唯一的結果，我要和常人一樣的死亡！』

我嘆了一口氣，明知道不應該說，還是說了出來：『你生前是土王，享盡福分，總要有些代價。也不只是你一個人，整個王族都是如此，別人甚至於沒有當過一天土王！』

當然我這樣的話說了也等於白說，無法開解土王的心情。土王心情之壞，從他看到白素下樓卻也顧不得向她問結果如何這一點上可見一斑。反而是我先向白素投以詢問的眼色。

白素搖了搖頭，表示未能和李宣宣取得聯絡。

我很同情天嘉土王的處境，也很能體諒他的心情。可是有關他的情形，我完全無能為力。這時候我反而在想：一個問題有了答案，另一個新的問題卻隨之產生。

有了答案的問題是：究竟當年齊白向天嘉土王要求什麼。

而新的問題更使人疑惑：齊白究竟要天嘉土王的靈魂去做什麼？

那時候齊白要天嘉土王去做的事情，現在是不是還有效？

這些問題，除了齊白現身之外，恐怕全世界再也沒有人可以回答了！

我向白素簡單地說明了齊白當年的要求，然後道：『將土王已經答應他當年要求的訊息傳達出去，有希望可以吸引齊白。』

白素點了點頭，重又上樓。在這個過程中，天嘉土王只是雙手抱住了頭，沒有說話。而從頭到尾沒有說話的是小郭。

他只是呆呆地坐著，有時候站起來走幾步，又坐下來。我向他望去，小郭苦笑：『發生的一切事情，完全在我知識範圍之外，甚至於不屬於我的想像力，我實在沒有辦法發表任何意見。』

他在這樣說了之後，過了一會，又補充道：『我可以想像任何種類的外星人……可是無法想像靈魂……陰間……』

我想告訴他，靈魂雖然是人類自己的事情，可是陰間，至少和齊白有關連的那個陰間，和外星人有關係。而且造成天嘉土王如今這種處境，也是外星人所為！

不過現在當然不必向小郭解說這些，我指了指天嘉土王：『他是不是先回去——』

天嘉土王陡然道：『我不回去，就在這裡等消息。』

我不禁苦笑，當然我不是沒有同情心，可是留一個垂危病人在家裡，這病人的身份又如此的特殊，牽涉到巨額的金錢利益和權位鬥爭——在和這兩項事情有關的爭奪中，人類任何醜惡的行為都會表露無遺。

所以他如果在我這裡『哲人其萎』的話，不知道會給我帶來多大的麻煩和困擾——這些麻煩和困擾，都是可以預見地惹人厭惡！

我不由自主皺了皺眉，天嘉土王瞪了我一眼，道：『不想我死在你家裡，就快將齊白找出來——照勒曼醫院的估計，我還有三十七天，三十七天！』

情形會發展到這種程度，實在出乎意料之外，他竟然撒起賴來了——當撒賴的時候，其人是一國之君還是小癟三，都沒有不同，我有應付很多難應付場面的本領，可是這時候卻也一籌莫展。

不怕見笑，當時我想到的是不如棄家逃走——和白素離開，將屋子讓給他算了！

不過這是最後一步，當然不應該放棄努力，我望著他，道：『你的王位！你不在這些日子安排你的王位嗎？』

我認為我的話十分有力，可以改變他在我這裡等待齊白出現的決定。因為在勒曼醫院的時候，他曾經問他的王位還可以繼續多久，表示出他心中，王位擺在生命之上。

這時候我用王位去打動他，應該是最有效的了！

可是他聽了之後，卻哈哈大笑——笑聲相當戚然，卻說了一句大為透徹的話，道：『由它去吧！』

我怔了一怔，這表示他現在的想法和心情，與他在勒曼醫院的時候已經大不相同了。我可以揣測到他的心路歷程：開始知道有病，關心的是王位——然後才感到生命可貴——再然後，才想到死亡之後靈魂永遠被禁錮的可怕。

現在他只想靈魂被釋放，生命是不是可以延續都屬於次要，至於王位，當然不值一提了！

天嘉土王本來可以說是世界上最享有財富和權位的人，要不顧一切緊緊抓住財富和權位，是他的天職。哪個人或是哪種力量，影響到他的財富和權位，他會不惜用一切手段去對付消滅。如果說世人都被財富和權位的網緊縛著的話，那麼他就是被縛得最緊和最透不過氣來的人——表面上看來風光無比，但從另一種角度來看，卻可憐莫名。

而現在他可以說出『由它去吧』這種頗有大徹大悟的話來，很不容易——如果再進一步，看得更透徹的話，那麼就算靈魂永遠不能離開，也不算什麼——再也沒有任何事情是算什麼，這才是真正徹底地領悟。

當然不能期望天嘉土王可以立刻做到這一點，不過也不是沒有希望。

如果到達這種境界，那麼齊白是不是出現，也就不重要了——這『不重要』當然只是對天嘉土王而言。對我來說，反而很重要。因為一來齊白忽然音訊全無，不知道在那神秘詭異不可測的陰間發生了什麼事情，他的安全有沒有問題……都使我很關心。二來，我實在極度好奇，齊白要借天嘉土王的靈魂，究竟想做什麼！

雖然近來我的好奇心已經大大不如以前，可是由於年齡關係，靈魂和身體分離之期（死期）越來越接近，對於靈魂和靈魂離體之後的情形……等等，也就自然而然越來越關切。

然而偏偏這一切全都難以捉摸，可供研究的資料很少，只能想像，不切實際。

其中只有齊白可以提供比較確切的資料，所以我很希望能夠和他保持聯絡。

在片刻之間，我想了許多，只聽得天嘉土王長長地嘆了一口氣，道：『我已經拜託了郭先生，我死在這裡，就當作是無名氏來處理。而現在我要再拜託衛先生，在我死了之後，仍然繼續聯絡齊白，請他將我的靈魂和身體分開。』

天嘉土王將話說到這種程度，我當然無法拒絕。我點了點頭：『一定努力……可是現在你健康狀況這樣壞，應該到醫院去——我的意思，最好還是進入勒曼醫院，反正隨時可以通訊，相隔萬里，就如同面對面一樣。』

我這樣說，並不是要趕他走，而是實在為他著想。我更進一步道：『在勒曼醫院，身體能夠得到最好的保存，等待靈魂和身體的分離——你的情形可以說可怕和悲慘，但是也可以說是一種很好的狀況——』

我才說到這裡，天嘉土王就對我怒目相向，以為在這種情形下，我還說這樣的話，分明是在調侃他！我連忙道：『你有沒有想到過，即使你死亡，由於靈魂和身體沒有分開，只要身體能夠長期保存，等到有了分開的可能，就仍然可以進行靈魂轉移進入新的身體，重新獲得生命！』

天嘉土王顯然沒有想到過這一點——我也是剛才陡然想起的。他聽了之後，深深地吸了一口氣，本來已經目光散亂、全無焦點的眼睛中，開始有些光彩閃耀。

確然，『靈魂和身體不能分離』這種狀況，可以很可怕，但是也可以很有利——有利在能夠在保存身體的期間，一直確知靈魂還在身體之中。

身體可以保存極其長久，也就是說在長久時間之內，只要有辦法使靈魂離體，就可以獲得新的生命。

比較起一般情形：人死了之後，不知道上哪裡去找他的靈魂要好多了！

雖然不知道要等多久，才會有辦法，可是那總是一個希望。要在三十七天之內，出現這種辦法，可能性極少。然而在三十七年之內，甚至於在三百七十年之內，出現這種辦法的可能性就很高。

天嘉土王是聰明人，他以前沒有想到自己的特異處境也有好處，是因為沉重打擊猝然來到，無法想得周全的緣故，經我一提醒，他自然而然會聯想到一切。

於是可以很明顯的看到希望在他垂死的身體上發生作用，他站了起來，來回走動，連連點頭，大聲道：『好，到勒曼醫院去！』

我立刻道：『我去通知勒曼醫院。』

我和勒曼醫院的聯絡人，就是那位亮聲先生，接通了電話，亮聲聽到是我，非常高興，開口就道：『正想和你聯絡——我們發現一個，不，一群地球人，腦部記憶組有異常現象，你一定料想不到！』

我哼了一聲：『大不了是記憶組無法脫離腦部而已。』

亮聲噎住了好一會，才咕噥了一句不知道是什麼意思的外星話，我回以一句寧波話，雙方都沒有問對方說了些什麼。我又道：『土王在我這裡。』

亮聲語氣很有些酸溜溜：『是啊，勒曼醫院沒有辦法，在地球上也就只有找衛斯理了。』

他的地球人習慣竟然如此道地，很使人意外。我當然不會繼續糾纏下去，就將我的想法告訴了他。

亮聲興奮起來：『沒有問題，將他的身體保留三千七百年，都沒有問題。』

我道：『剛才你說在地球上只有找衛斯理，大錯特錯，我們現在正在找也不知道是不是可以算是在地球上的「陰間」，本來和他們有固定的聯繫方法，可是這個方法現在無效，建立陰間的一二三號那種外星人，對於地球人靈魂和靈魂離體，有很深入的研究，他們可能改變土王腦部禁止靈魂離開的基因。』

亮聲哼了一聲，道：『姑妄聽之。』

他顯然對於勒曼醫院對土王無能為力非常耿耿於懷，所以也不以為別人會有辦法。

我道：『我懷疑一二三號他們，和當年在土王祖先腦部植入基因的是同一種外星人。』

亮聲聽了，立刻道：『有趣之極。』

我提出：『勒曼醫院多外星人，在宇宙問訊息靈通，要打聽他們的下落也比較容易，至少比我要找齊白容易些。』

亮聲又道：『有趣之極。』

我怔了一怔，亮聲對我的話做出這樣的反應，未免有些不正常，我這樣說，何趣之有？

在和我有交往的外星人之中，我比較喜歡亮聲。因為我覺得他深化地球人行為，和他打交道，與和地球人來往最接近，不像其他的外星人那樣，總給人有些鬼頭鬼腦、不知道他心中在想什麼的感覺。

像這時候，雖然是在電話中對話，可是我卻可以非常明顯感到亮聲的反應不正常，他對我所說的話，有著明顯的冷淡，是在敷衍我，毫不認真。

他的這種態度，使我非常不愉快，我哼了一聲：『你想說什麼，就說什麼，不必說廢話！』

在我提了這樣的抗議之後，亮聲有很短暫的沉默，顯然給我說中了，我又連聲冷笑：『我以為我們一直是朋友！』

亮聲道：『當然是朋友——所以我一直很關心你的行動，留意你的記述，很熟悉你記述的一二三四號和狄可那類外星人……當然有更重要的原因，是因為你在記述之中，提到了他們創造了「思想儀」——可以通過它捕捉高級生物的思想，那使我們，我的意思是，經常有聯絡的外星人很感到……感到……興趣……』

他在說到『感到興趣』的時候，非常遲疑，使我感到其中另有文章。

我略想了一想，就知道原因，冷笑道：『恐怕不是感到興趣，而是感到恐懼——至少是感到不安和不愉快吧！』

亮聲回答得十分爽快：『是，正是。』

我吸了一口氣——亮聲和其他外星人對『思想儀』的反應，和我這個地球人是一樣的。

這種反應很正常：高級生物都有思想，都不想自己的思想被他人捕捉，一二三四號他們的思想儀就犯了大忌，必然惹起所有宇宙間高級生物的反感。

這種反感，我完全可以理解。可是亮聲接下來所說的話，卻出乎我的意料之外。

他道：『我們商議過，有這種功能的思想儀存在，會徹底破壞宇宙間各星體高級生物之間的平衡，是一種可怕和危險的現象。』

亮聲說得很嚴重，我也完全同意，因為狄可確然曾經說過，他們擁有思想儀這件事，是極度的秘密，如果廣為人知，必然引起宇宙間大反感、只怕所有星體上的高級生物都會聯合對付他們。

這就是亮聲現在所說的情形。

亮聲繼續道：『所以我們商討的結果，就是要和他們談判，老實說，我們的決定是先禮後兵，為了保護我們的思想不被捕捉，可以使用任何手段。』

我心中暗暗吃驚，心想幸好思想儀已經損壞，而且分成了兩部份，所有外星人知道了這種情形之後，應該會放心，不然，不知道什麼時候一場宇宙大戰已經爆發了。

我連忙將我知道的有關思想儀的情況，告訴亮聲，卻不料才說了幾句，亮聲就打斷了我的話頭，道：『我們研究過你的記述，所以知道這個狀況。』

我道：『那你們可以放心了。』

亮聲道：『我們還是決定要找他們談一談，向他們表示我們對這種儀器的反感。』

對話到這裡，還是沒有什麼問題，我對他們的決定，也表示同意。

亮聲繼續說下去：『於是我們就開始試圖和他們接觸──就是你所說的一二三四號和狄可。』

我道：『要接觸一二三四號，恐怕不容易，因為他們正在逃避狄可的追捕。』

亮聲乾笑幾下，聽來其意非常不善。我不免有些惱怒，道：『你想說什麼？』

亮聲遲遲疑疑道：『你在幾個記述之中所說的一二三號、四號和狄可……好像……好像……』

他說到這裡，停了一停，忽然提高了聲音，道：『衛斯理，我先聲明：我對你瞭解多，所以是完全相信你，其他人對你不瞭解，我曾經和他們激烈爭辯過。』

他突然作了這樣的聲明，我有越聽越不像話的感覺，反問道：『你相信我什麼？其他人又不相信我什麼？』

亮聲嘆了一口氣：『也難怪其他人，你所記述的陰間，和什麼陰間三寶……等等，都沒有實質證據，很虛無縹緲……』

這更不像話了！我大聲打斷了他的話頭，道：『等一等！你究竟想說些什麼？』

亮聲沒有立刻回答，只是像是在喃喃自語，說了一句：『我是實話實說……』

我又好氣又好笑，總算明白他究竟想說什麼了！

我叫了起來：『你們以為我有關陰間的記述，全是虛構的？』

亮聲趕緊撇清：『我沒有這樣認為，是他們……他們……』

我沒好氣：『謝謝你了，那些外星鬼不相信我，就讓他們不相信好了，地球上不知道有多少地球人還根本不相信有外星人哩！』

這時候我心中感覺很難形容——我一直以為只有地球人不相信有

外星人的存在，卻從來沒有想到過連一些外星人也會不相信有另外一些外星人的存在。

這種現象該怎麼解釋呢？

似乎只可以說：宇宙太大了！實在太大了，大到沒有人可以真正瞭解的程度。

亮聲道：『你別激動，先聽我說經過，他們這樣認為，並不是沒有過程的。首先在地球上所有的外星來客之間交換訊息，都沒有一二三四號他們真正的資料，有的就是你的記述。接著，又將訊息傳回各自的星體，通過各個星體，盡能力所及搜尋，經過超過一個地球年的時間，完全沒有發現，這才有人提出說……說……』

我冷笑：『有人怎麼說，你只管複述好了。』

亮聲的語音有些尷尬：『說……說大家上當了！什麼一二三四號，什麼思想儀……全是衛斯理作出來的，根本就不存在……我竭力反對這種說法，可是大多數……絕大多數都同意，所以就放棄了尋找。』

話題是從我要求亮聲聯絡所有的外星人，設法尋找一二三四號他們開始的，再也意想不到會有這樣的結果。

原來那些外星人為了顧忌思想儀的功能，早就想把一二三四號他們找出來，結果卻沒有成功——他們自己失敗，也不想想是他們自己窩囊沒有本領，卻說一切都是『衛斯理作出來的』，當真是豈有此理至於極點，混蛋加三級！

我連聲冷笑：『領教了！真正領教了！多少年來——自從我知道有外星人存在，而且許多外星人來到地球，我就一直對外星人尊而重之，在外星人面前多少有些自卑，認為地球人大大不如，現在才知道原來外星人也不過如此，觀念上和地球人一樣：自己認識範圍之外的事情，都當作不存在！哈哈，哈哈，這種思想方法，原來不是地球獨有，而是宇宙性的！』

我一口氣說下來，覺得十分痛快，而身邊居然傳來了鼓掌聲，小郭、土王，還有白素，都在熱烈鼓掌，我向他們鞠躬致謝。

（我和亮聲的通話，一開始我就使用擴音設備，所以雙方的話，身邊人都可以聽到。）

天嘉土王更補充道：『陰間和建立陰間的力量，是我唯一的希望了！』

他的意思很清楚：如果這一切都是『衛斯理作出來的』，那麼他就沒有希望了，所以他必須相信一切都存在。

電話那邊居然也有鼓掌聲傳來，亮聲道：『當時我就這樣說過，我還說過：宇宙浩渺無涯，我們的尋找行動，遍及的只怕連宇宙的億分之一都沒有，不能夠作出衛斯理虛構的結論。』

這次我由衷地道：『謝謝你的信任。還有一點是未能發現他們的原因。他們有了思想儀，他們自己也知道會犯眾怒，所以行藏特別詭秘，儘量設法隱藏，不讓人家發覺他們的存在。他們的宇宙航行，四人一組，不能分開，也是由於這個原因。而其中一組分開了，不肯歸隊，引起他們極度的緊張，一定要將之找回來，也是這個原因。他們有心隱藏，要發現他們當然不容易。』

我還是感到好笑：『和他們有過來往的又不是只有我一個人，

我能作得出那麼多事情來嗎？』

白素在這時候插言：『可是你什麼實物都拿不出來，最能證明陰間存在的齊白和李宣宣又原因不明地無法聯絡，難怪人家會有這樣的想法。』

我有些啼笑皆非，大聲道：『總會讓他們知道真正情形如何。』

而亮聲倒是真正站在相信我這一邊的，他接下來所說的話可以證明。他道：『衛斯理，剛才你提到，土王信奉的天神，和一二三四號可能是同一種外星人，除了他們對於地球人記憶思想組方面特別有研究這一點相同之外，還有什麼實質的根據沒有？』

記得第一次提出『天神』和『一二三四號』可能是同類時，亮聲的反應是說『有趣之極』，原來他是真的感到有趣，所以現在才會進一步發問。

因為如果證明了這個假設，那麼就可以證明『一二三四號』的存在了。可是這個假設，僅僅是我的聯想，並沒有實質的根據，倒是不折不扣的『衛斯理作出來的』。

所以對於亮聲這個問題，我沒有答案。

反而是天嘉土王，忽然興奮起來，道：『將我們記憶組鎖定在腦部的是天神，這……解鈴還需繫鈴人，我看天神一定可以將被鎖定的記憶組解開來！』

亮聲對天嘉土王的話最先有反應，他道：『可是上哪裡找你的天神去？』

天嘉土王東張西望，如果不是看他的情形這樣可憐，我真忍不住想調侃他：可以委託郭大偵探去找。

可是白素卻道：『要找「天神」，我看要比現在找陰間總要容易一些。』

白素的話使我大感意外，我向她深深作了一揖，道：『娘子何所據而云然。』

白素微笑：『現在無法聯絡上齊白和李宣宣，陰間的一切都沒有任何證據證明它的存在，變成是「衛斯理作出來的」了，可是天神卻有不少東西留在地球上，這些東西至少可以證明天神的存在——尋找確實有證明他存在的，總是比尋找無法確實證明他存在的容易些吧！』

我怔了一怔：白素所說，在理論上確然可以成立。

而且經她提起，我也立刻想到，『天神』確然有不少東西留在地球上。首先是天嘉土王接受考驗的那個山洞之中許多神奇的設施。其中最神奇的當然是那種可以接收廣大群眾思想的儀器。

它非但可以接收大量人的思想波，而且可以將接收來的思想波分類，分成贊成或反對，在螢幕上顯示出來。

這種神奇的功能，也只有『一二三四號』他們的思想儀才能比擬了，所以我會在潛意識之中，將兩者歸為一體。

還有在人進入山洞之後，會突然出現的分隔牆，將人關在山洞裡面，如果不能通過考驗，就不能出來。

更令人驚奇的是，未能通過考驗的土王和助手，會接受『無痛苦死亡』的懲罰。

這種『無痛苦死亡』，使我聯想起所謂『陰間三寶』之中『奪命環』出現的情景——奪命環一出現，就將人的靈魂攝走，也立刻形成無痛苦死亡。

如此看來，似乎兩者之間，又多一項相似之處了。而即使兩者之間完全沒有關係，『天神』能使人無痛苦死亡，當然也和要對付人的靈魂有些關連。

所以白素的想法是對的——找天神，比找齊白可能更容易，而且更加實際，因為天神是鎖住土王靈魂，不讓出竅的『罪魁』。

冤有頭，債有主，當然也應該找天神。

想到白素所說有理，我自然而然點頭，奇怪的是，亮聲竟然像是看到了我的動作一樣，他立刻道：『是到那個有接收群眾思想裝置的山洞中去嗎？我要參加。』

他在這樣說了之後，不到三秒鐘，又說道：『我和我的同伴都要參加。』

我怔了一怔，一時之間不知道他要參加的目的何在，在這時候我看到白素向我做了一個手勢，我立刻會意——白素在告訴我，亮聲那邊的情形，很可能有若干人正在聽我們的對話。亮聲表示要參加是他自己的意見，忽然又加了『同伴』，當然是在聽我們對話的另外有人了。

由此可知，勒曼醫院方面對於天嘉土王的事情，非常重視，我估計其中最主要的原因，還是他們並沒有放棄找尋『一二三四號』和『思想儀』。

有思想儀這種東西存在，始終是有思想高級生物的心腹大患，不將它找出來消滅掉，總是不得安心，所以他們不願意放過任何尋找的線索。

猜透了他們的心意，我冷笑道：『是幾個人商量的結果吧？不是說一切都是衛斯理做出來的嗎？為什麼又想去找線索。』

這話一出口，我就聽到那邊有幾個人講話的聲音，不過聽不清楚他們在說些什麼。亮聲給我戴高帽：『各人一致認為好像沒有什麼事情可以瞞得過衛斯理！』

好話人人愛聽，我也不能例外，所以一句『你們這些外星鬼少給我鬼頭鬼腦』也就不說了。

亮聲又道：『你忘記了嗎？我是一直支持你的，說那是你作出來的是另外一些人——在勒曼醫院裡沒有這樣認為的人，在這裡的人，都知道閣下神通廣大，哪裡會胡說八道！』

我趕快打斷了他的話頭：『別肉麻了——誰能到那山洞去，決定權屬於天嘉土王——』

我一面說，一面向天嘉土王望去，天嘉土王神情猶豫，道：『那個山洞，有規定不到土王面臨考驗，是任何人不能進去的！』

亮聲哼了一聲：『和你有那麼密切的關係，也不能進去嗎？』

天嘉土王神情很為難，望了望我，又向白素望去，白素在空中寫了兩個字，我看到是：『答允。』

天嘉土王想了想，才道：『我不能批准，可是……可是卻可以裝成不知道，天神要怪罪，就讓我一個人來承擔，不要連累我的子民，我會向天神祈禱。』

亮聲立刻道：『太好了！』

我搖頭：『要秘密進入那山洞並不容易，山洞附近，有很多人看守，那些人都歸祭師統轄。』

我還想告訴他，山洞口有許多大石塊堵著，要搬開這些大石，也要勞師動眾。可是我還沒有開口，亮聲就有些急不及待，道：『我們會應付祭師，我們這就去進行。』

雖然不是面對面，可是這一次不但我和白素，連小郭和天嘉土王都覺得亮聲太著急了。而且他的態度，明顯地表示他們會自己去進行——從我們這裡得到了資料，可是卻並沒有和我們合作採取行動的意思。

這種行為雖然在人類行為中非常常見，可是在我的經驗之中，很少和外星人交往會發生這種事情，尤其是和勒曼醫院的交往，除了開始的時候雙方處於敵對地位之外，一直都能開誠布公，合作很是愉快。

一時之間我們四人都感到事情有些古怪，不知道該如何反應，亮聲方面好像也在這時候感到他們的做法不對，會引起我們的不快，所以亮聲開始解釋：『土王長久沒有露面，政治局面和權力支配開始出現紊亂——』

土王一聽，就十分惱怒，可是也無可奈何之極。

算起來，天嘉土王在勒曼醫院，超過三個月。離開了勒曼醫院之後，為了隱瞞病情，又不能露面——他如今這種情形，一出現就人人可知他不久人世。

在那種王權至上的地方，土王長久不出現，表面上看起來很平靜，可是暗中風起雲湧，不知道有多少陰謀詭計在進行，目標中心當然就是王位。

而天嘉土王目前的情形是，就算他知道對付他的行為從四面八方來，他也沒有辦法對付——他的生命只剩下三十多天。在三十多天之後，死亡來臨，人世間再多的榮華富貴，就和他完全沒有關連，就算他再捨不得放手，也非放不可。

而且他還有更大的困擾——他甚至於不能像普通人一樣的死亡，

他的靈魂還不能離開他死亡之後的身體！

所以土王的那種無可奈何，是真正的無奈，其無奈程度，至於極點，只怕古今中外，再也沒有任何人比他更無奈的了。

亮聲如果在場，看到天嘉土王這樣的神情，可能會不再說下去，然而其時他急於解釋，所以還在往下說：『據我們瞭解，危機來自各方面，很快就會發作，所以要有對付行動的話，越快越好，我們這裡行動起來比較快，而且行動會有效……所以請放心讓我們採取行動。』

亮聲說得越多，我心中越是疑惑，感到他隱瞞我們的事情，遠比我們想到的為多。

例如從他的話中，可以聽出勒曼醫院方面對土王國度的情勢很瞭解——那應該是和勒曼醫院完全沒有關係的事情，為什麼他們會如此注意？

而且亮聲已經很露骨地表示勒曼醫院方面對於探索那個山洞要單獨行動，為什麼要排斥我？

這使我非常惱怒，我要立刻開口斥罵，可是在一旁的白素，用力拉了我一下，不讓我說話。我只好趁她還沒有進一步阻止我之前，發出了一連串的冷笑聲。

亮聲當然可以在我的冷笑聲中聽出我極度不滿，他連忙道：『為土王著想，請為土王著想，我們一定會用極妥善的方法進入山洞，只要在山洞中有所發現，就有可能改變土王目前的困境，自然能夠消除危機了。』

這東西越描越黑——他簡直就是在說如果我一定要參加的話，就只會壞事情！

這真是豈有此理之極！

白素非常堅決地不讓我說話，所以我們這裡有一個短暫時間的沉默。亮聲可能以為我們已經接受了他的解釋，再說話的時候，明顯有鬆了一口氣之感，他道：『在山洞中有所發現，是很有可能的事情，土王只管來勒曼醫院休息，一切讓我們來進行。』

白素打眼色，示意我對他的話表示同意。我心中非常不願意，可是知道白素要那樣，一定有她的道理，所以我哼了一聲，道：『好吧——』

這『好吧』兩字說來還有些不情不願，可是在說了之後，我立刻想到，白素要我表示同意，目的一定是要亮聲以為我不會插手，所以我必須做戲做全套，我接著道：『本來就沒有我的事情，由你們去進行，當然很好。』

亮聲居然會覺得不好意思，道：『我們進行的結果如何，會向你詳細報告。』

我的聲音也居然聽來十分愉快：『好極，好極！』

亮聲道：『好，那就請天嘉土王趕快到勒曼醫院來！』

和亮聲的通話，到此為止。

小郭首先道：『我看這外星人另有所圖！』

我望向白素，白素道：『是的，他們另有所圖，不過我可以肯定，他們對土王沒有惡意，對我們也沒有惡意，我想他們最在意的還是思想儀。』

我哼了一聲：『他們想撇開我，沒有那麼容易！』

我以為白素一定會反對，誰知道白素立刻道：『當然沒有那麼容易，衛斯理豈有如此被人撇開之理——不過我們要商量一下，如何進行。』

我大樂，首先提出：『我先去，趕在他們前面，看他們有什麼辦法進山洞去。』

白素搖頭：『你確然要有行動，可是不應該到山洞去——』

她說到這裡，望向土王：『有一個更重要的地方要去，我認為有一件更重要的東西在那地方。』

我怔了一怔，一時之間不明白白素所說的是什麼東西和什麼地方。白素做了一個手勢，先比了一個長短和一團東西，然後作拿起那個東西之狀，人卻向後狼狽退出了幾步。

她這幾個動作一做，我就『啊』地一聲，立刻明白了她所指何事。不但是我，連處境如此困擾的天嘉土王，都忍不住笑了笑——雖然笑容很難看，可是敢說那是他知道身患絕症以來唯一的一次笑容。

白素的動作，是在說我們（我和白素、天嘉土王）以前在一起發生的一件事情。

事情是上次天嘉土王邀請我作為他通過天神考驗的助手。而作為助手，我可以進入只有土王才能進入的一個寶庫，去選擇一樣東西作為武器。

進入那寶庫，程序非常繁複，牽涉到許多密碼和動作，我在還沒有進入之前，以為那寶庫之中不知道有多少寶貴的東西，可是進去之後一看，卻不禁失笑——那小小的一個空間之中，全是些亂七八糟的東西，根本沒有任何價值。

其中只有一樣東西，看起來像是一柄大鐵鎚，大小就如同白素剛才所比。當時我向它看了看，土王就將它拿了起來，交給我，道：『試試它的重量。』

當時土王雙手拿著這東西，東西看起來像是鐵鎚，他又這樣說法，給人的直覺是：那東西一定沉重無比。

而我在其時，立刻聯想到的是，我曾經見過體積大小和重量完全不成比例的東西，那是『陰間三寶』之中的那隻環和放環的那隻盒子——小小的一隻環，重量竟然超過十公斤！

所以我以為那東西一定非常沉重，在接過它來的時候，用了很大的勁，準備承受重量。可是意料之外，那東西其輕無比——輕得一點分量都沒有。

所以我用的勁沒有下落，以致狼狽後退。

白素剛才就是在學我其時那種情景，當時天嘉土王看到他作弄我成功，樂得哈哈大笑——他一定是真正感到好笑，所以剛才才會又顯出了笑容。

後來天嘉土王告訴我，沒有人知道那是什麼東西，而他秤過，那東西的重量只有十分之一克！

那是無法令人相信的重量，彷彿地心吸力對那東西完全不起作用。我也不知道那是什麼東西，只是覺得非常好奇，所以就選擇了它作為武器。

後來進入山洞，除了偶然用那東西敲打洞壁和突然出現的牆之外，也根本沒有別的用處。而在天嘉土王通過了考驗之後，出了山洞，我就將那東西還給了土王，仍然放入寶庫。

天嘉土王曾經問過我：這東西究竟是什麼？

我當然答不上來，不過有了在山洞中的經歷，知道山洞中有天神（外星人）的設施，那東西又可以肯定不屬於地球，所以可以將它和天神聯繫在一起。

天嘉土王雖然不滿意，也只好接受。

那東西和天神有關，白素這時候提起它來，當然也是因為這個緣故。

白素見我們知道她說的是什麼，就進一步解釋：『勒曼醫院的外星人，急於要到那山洞去，目的是由於洞中有天神留下來的設施。可是他們不知道天神另外有東西留下，我們先將這東西保留，可能會很有用——勒曼醫院顯然有事情瞞著我們，我們可以用這東西和他們討價還價。』

我大聲叫好，白素又道：『當然要土王同意，而且要他傳授你進入寶庫的方法。』

天嘉土王一直很用心在聽我們說話，這時候他神情有些猶豫——明顯是由於不知道應該完全站在勒曼醫院那一邊，還是完全站在我們這一邊。

他有這種猶豫，當然是心中還認為勒曼醫院本領比較高強，對他可能幫助更多的緣故。

我哼了一聲，道：『別忘記是勒曼醫院不能夠釋放你靈魂，你才來找我的！』

土王攤了攤手，苦笑：『我已經到了這種地步，還有什麼需要多考慮的——進入那寶庫的方法十分複雜，拿紙筆來，我詳細解釋給你聽。』

我曾經見過他進入寶庫，知道確然程序複雜，所以在他解說的時候，用心記憶，白素也在一邊看著，我看出她顯然也在用心聽，當然是為了和我一起行動，我很是興奮，握住了她的手。

天嘉土王說完，顯得很疲倦，不過他還是叮囑：『規定只有土王才能進入寶庫，你們在行動的時候千萬小心，不要讓守護寶庫的警衛發覺，不然……就會被當作對天神最大的不敬，要被長矛刺心而死！』

他警告得十分嚴重，我當然沒有放在心上——天神對他們來說，是絕對不能有絲毫違背的信仰，對我來說，只是早已離開地球的外星人而已，至於執行天神規定的那些警衛，當然更是容易對付。

後來和白素討論，『天神』何以對進入寶庫有那樣嚴厲的規定，目的當然是為了保護那個不知名的東西——這也就說明那東西的重要性。

天嘉土王閉上眼睛，喘了幾口氣，長嘆一聲：『聽天由命吧！』

白素安慰他：『請相信，我們和勒曼醫院之間可能有些誤會，可是各方面都在盡力幫助你。而且你既然得到天神特別改造腦部的遺傳，天神總會保佑你的。』

土王眨著眼——雖然他受過西方高等教育，可是這時候白素最後的兩句話顯然起了極大的作用，他喃喃自語：『天神保祐，天神保佑！』

他在小郭的伴同之下離去——他在如今這樣的狀況之下，完全不能在他自己人面前露面，我們這些外人，反而成為他可以信任的依靠——這是很典型的一種地球人行為，相信外星人要費很大工夫研究，也不一定能夠完全瞭解。

小郭是陪著天嘉土王到勒曼醫院去的。

而我和白素也立刻採取行動，我們經過了化裝，裝扮成了當地土著——效果極好，混在當地人之中，不會有人認得出來。

在前往土王的國度途中，我和白素討論兩件事情。其一，是勒曼醫院方面，亮聲他們會採取什麼樣的行動？其二，是『陰間』究竟發生了什麼事情，以致我們無法和齊白以及李宣宣聯絡？

我們意識到，陰間如果發生變數，應該已經很久了，因為自從上次在土王那裡見過齊白之後，就一直沒有他的消息。

現在回想當時的情形，我覺得很難過，因為當時只感到齊白的行為太過分、太不堪，只感到厭惡。卻沒有很好的以朋友關心的立場去想一想他為什麼要這樣做。

我甚至於沒有注意到一個非常關鍵性的情形：齊白只是一個人出現，李宣宣為什麼沒有和他在一起？他們曾經說過，在經歷了這樣長期和可怕的分離之後，他們一步也不要再分開。然而那次卻只有齊白一個人，在向天嘉土王要求借靈魂。

只要略想一想，就可以得出結論：一定是李宣宣出了狀況，而且是非常嚴重的狀況，這才能解釋齊白何以不顧一切去哀求天嘉土王——只有為了李宣宣，他才可能這樣！

我竟然到現在這時候才想到了這一點！

對自己的責備，到了不能原諒的地步。而當年李宣宣的狀況如果嚴重和緊急，到了現在，事隔多年，會發生的不幸事情當然早已發生。

如果那種不幸會造成齊白和李宣宣又不能相聚，又要經歷生離死別，那對於齊白來說，不知道是什麼樣的一種痛苦！

而在隔了那麼久之後，我們還企圖和齊白聯絡——就算齊白能夠接收到我們發出的訊息，他會肯回應我們嗎？

在他最需要朋友幫助的時候，我只是在一旁用鄙視他的眼光旁觀。雖然那時候我就算幫忙，天嘉土王仍然一定不肯借出靈魂，可是至少齊白知道我盡了朋友的責任。

我越想越覺得自己不對，連連長嘆，白素在我身邊，也顯然想到同樣的事情，所以她只是望著我，竟然不知道該說什麼話來安慰我才好。

我一面嘆氣，一面打自己的頭，別說白素不知道該說什麼，連我也不知道該對自己說什麼！

我心中的懊喪真是難以形容，我相信在這種情形下，我腦部產生的訊號一定非常強烈，而且這時候我在飛機上，處於高空，對訊號傳送，沒有阻隔，所以才有接下來發生的事情。

接下來發生的事情十分值得好好記述，因為那是首次我和白素可以直接思想交流——也就是說，雙方完全不必通過語言（包括身體語言）、眼神……等等來瞭解對方的意思，而是直接由自己的腦部接收對方腦部發出的訊號。

這是一種神通——『兩心通』。

在有了第一次之後，我和白素努力，開始很生澀，漸漸成熟，終於可以隨心所欲——這是後話，表過不提。

卻說當時情形也相當複雜，並非我立刻和白素有了腦部訊息的直接交流，而是突然之間我『聽到了』有人在咬牙切齒地罵我：『衛斯理，你這個卑鄙小人！』

『聽到』並不是真正有聲音通過耳膜的震動而聽到，是腦部接收到訊號之後的聽見效果——這種情形我曾經經歷過許多次了，所以並不陌生。

而且我立刻可以聽出那是齊白在罵我！

剎那之間我心中不知道是什麼滋味，張大了口，不能有任何反應，而就在這時候，我又『聽到』白素的話，當時我還沒有反應過來，我『聽到』白素的話，其狀況和『聽到』齊白的話一樣，都是通過腦部訊號接收而來。

白素顯然和我同時也接收到了齊白罵我的話——那並不奇怪，齊白在陰間經過改造，有能力使他人接收他腦部發出的訊號，然而白素回應齊白對我的責罵，應該只有齊白收到，怎麼連我也收到了她發出的訊號呢？

（這種情形，很類似電話功能中的『三人連線』。）

我腦部也直接接收到了白素發出的訊號，這是多麼奇異又奇妙的現象！

我『聽到』白素在『說』的是：『不能單單怪衛斯理吧！』

我甚至於非常明顯地可以感覺到白素一貫的那種淡淡的語氣。

我望向白素，當時還不確切知道發生了什麼事情，只是發出了一連串問題，白素顯然也直接接收到了我的訊號，神情也同樣疑惑之極。

就在這時候，又聽到齊白哼了一聲，道：『真是沒有天理，反而便宜了你們這雙——』

他說到這裡，我和白素齊聲怒喝：『住口！』

估計就算我們不喝止，齊白自己也會住口的。接下來是一陣沉默——我和白素都需要消化一下目前的情形，而很快我們就知道，剛才發生的事情是：我和白素之間已經達到了腦部訊息直接交流的境界。

也就是：我和白素之間有了『兩心通』！

這種境界是許多修行者的夢想，我們以前雖然也曾經努力過，可是並沒有成功，我和白素之間在很多情形下，都可以心意相通，可是總需要有一些起碼的暗示，那並非腦部訊號的直接交流。

而現在我們非常明確的可以肯定：我們腦部訊號可以直接交流了！

我和白素都不知道何以忽然會有這樣的突破，這時候當然也無法去深究，齊白忽然『出現』，不能讓他溜走。

我立刻問：『究竟發生了什麼事情？』

齊白竟然沒有立刻回答，這時候我也不知道怎樣才好，看著白素，又四面張望——我知道剛才聽到齊白的聲音，只不過是腦部收到了他的訊號，他人在何處，我完全無法揣測，說不定根本是在另一個空間。

我希望齊白他突破空間的能力還在，雖然飛機的機艙中不是他突然現身的適當場合（太怪異了），可是我還是想他在面前出現。因為有太多的問題要問他了。

就算我對於腦部訊息直接交流的這種溝通方法不是很陌生，不過畢竟不熟悉，覺得還是面對面說話溝通比較好。

尤其是現在這種情形，齊白一停止發出訊號，我就根本不知道發生了什麼事情。

白素輕輕拍了拍我的手背，她不是向我發出訊號，而是針對齊白，可是我也收到了她要對齊白說的話，她在問齊白：『是不是宣宣姐有了意外？』

白素的問題比我剛才所問的直接而具體，齊白立刻有了反應，我們接收到的，竟然是他的一陣嗚咽聲——非常明顯，白素一問，就接觸到了問題的中心：果然是李宣宣出了意外！

也只有因為李宣宣出了意外，齊白才會如此失魂落魄，才會如此行為反常！

我和白素立刻傳遞出我們的震驚和關懷，那是出於真摯的感情，由於是腦部訊息直接交流，和通過語言表達可以假裝不同，所以齊白能夠完全明白我們的心意。

我們立刻『聽到』齊白剛才是在哽咽，突然索性變成了嚎啕大哭！

這場痛哭，他一定壓抑了很久，所以大有一發不可收拾之勢。我好幾次想要喝停他，都被白素制止。

於是我們足足聽他哭了將近十分鐘——這種『他心通』在地球人之間來說，是何等難得的經歷，何況我們還是三個人之間在互相進行，更是難得之極，我甚至於懷疑在人類歷史上這是不是第一次。可是這樣寶貴的經歷，卻用來聽齊白的痛哭，真是浪費至於極點！

等到他哭聲稍停，變成了抽噎，白素才道：『宣宣不會死，只要人不死，就沒有大不了！』

我補充：『就算人死了，也沒有什麼——死了，可以再活回來！』

我們是在用最實在的話告訴齊白，說明他不必傷心的道理。可是齊白竟然發怒，回應道：『衛斯理別放屁！宣宣怎麼會死！什麼叫做「就算死了也沒有什麼」，真正豈有此理！』

我不禁又好氣又好笑，回罵他：『既然不會死，你他媽的哭得那樣傷心幹嘛？要是令堂令尊有意外，閣下也如此傷心，那就二十四孝的故事要加多一個了！』

齊白的反應不倫不類，令人啼笑皆非，他竟然長嘆一聲：『英雄有淚不輕彈，只因未到傷心處啊！』

我自然而然將一句粗話化為訊號傳送出去，惹來身邊白素的老大白眼。

我再表達我的不滿：『有事情找朋友幫忙，天經地義，像你那樣鬼頭鬼腦，什麼都不對朋友說，活該自己吃苦！』

齊白惱怒：『對你說，有用嗎？』

我也生氣：『你不說，怎麼知道一定沒有用！』

齊白負氣道：『好，我說，看是有用還是沒有用——我需要向天嘉土王借他的靈魂一用，你能幫我什麼？』

我不禁為之氣結，說來說去，他還是要向天嘉土王借靈魂！

而對於發生了什麼事情，李宣宣怎麼樣了，借了土王的靈魂又有什麼用處，他卻不說。

而其實，在現在這種情況下，他要將一切告訴我們，是非常容易的事情，他不必『從頭說起』，只要將有關事情的一切，化為訊號傳送過來就可以。我們接收到了訊號，就可以在瞬息之間，知道一切事情的經過。

可是他卻不那樣做！

白素好耐性，回答他：『現在情況不是你要向天嘉土王借靈魂，而是天嘉土王上天下地在找你，要將靈魂借給你！』

在我腦部收到齊白發出的大量詢問訊號的同時，我已經將有關天嘉土王的一切資料迅速地組織了一下，同時發向齊白。

（請相信，人腦在記憶之中尋找資料，其速度並不比高速電腦慢，人人都可以有能力通過腦部活動，將記憶中的資料很快找尋出來，只不過不是人人都能夠將找到的資料化為訊號發出去而已。）

（再請相信，人人能夠將腦部活動化為訊號發出去，被他人接收的時刻，總有一天會來到的。）

（似乎很難相信？）

（是的，很難相信，其難相信的程度，和要亞歷山大大帝相信如今大家都在使用的電腦功能一樣。）

（要相信！）

齊白的反應是一連串的『啊啊』聲，然後是相當長時間的沉默，顯然有關天嘉土王靈魂的狀況，完全出乎齊白的意料之外，他無法很快的消化這些資料。

假設李宣宣有了意外，為了救她，齊白必須借助天嘉土王的靈魂。而現在他知道了土王的靈魂不能離開身體，而他顯然又沒有能力可以改變這種狀況——如果他有這種能力，他一定立刻表示了。那說明他無法向土王借靈魂，他感到了沒有希望，所以才有這樣的沉默。

過了至少十分鐘，才收到齊白軟弱的訊號：『現在，能夠怎麼辦？』

我沒好氣：『什麼現在怎麼辦？你要天嘉土王的靈魂做什麼，能不能痛快說出來？』

齊白的回答令人想將他掐死，他道：『事情太複雜了，說了你們也不會明白。』

白素比我搶先一步回答，她居然毫不生氣：『就用剛才衛斯理將有關天嘉土王一切資料傳送給你的方法，將究竟發生了什麼事情的始末告訴我們。』

齊白警告：『太多事情，你們未必能一下子全部接收，要有思想準備——腦部可能因為不能適應從來沒有發生過的活動狀況，而產生不可預測的反應。』

這時候我當然不會將齊白的警告放在心上，只是哼了一聲，又加上幾句並不動聽的話。

而就在那一瞬間，我腦部突然產生了非常奇怪的感覺，像是有許多東西，爭先恐後要進來，雜亂無比，將正常的運作完全打亂，眼前也出現了許多莫名其妙的光團，變化迅速，不可名狀，同時又有萬千種聲音，要將我的腦袋脹破。

這時候我身體所能感到的唯一知覺，是白素冰冷的手，她緊握著我的手，我也不知道自己的手是冷還是熱，我只知道白素此刻的感受一定和我一樣。

在那樣難以形容的腦部混亂之中，我覺得自己的腦子像是在不斷擴展，在一直變大，我甚至於滑稽地擔心我腦子這樣一直大下去，會不會飛機也容納不下？

再接著，就是無數的刺痛——痛感並不強烈，可是為數極多。

這種說法，其實非常不通：痛感怎麼能夠用數字來衡量計算？可是當時的感覺確然如此，是許多許多數之不盡的痛感，並不是同時發生，而是極快的一個接一個發生。要我勉強解釋的話，只能說在那混亂的、很短的時間內，我腦部幾十億腦細胞每一個都有痛感產生，而並非同時，所以才有『許多痛』這樣的感覺。

後來我和白素將當時的這種感覺告訴紅綾，紅綾聽了，拍手笑道：『當年媽媽的媽媽，將很多很多資料傳送進入我的腦部，就是這樣的情形，我的頭好像氣球在不斷充氣，可是卻不會爆裂，真是有趣！』

紅綾的比喻很恰當，不恰當的是她的結論：這種感覺，並不有趣。

我和白素當時感受一樣，都不知道究竟過了多久，腦部的混亂才漸漸向平靜方面發展，於是許多事情，逐步逐步在我們腦中展現出來，越來越清楚，變成了我們腦部的記憶。

終於一切變得澄清明澈，對於所有的事情完全了然。

所謂『所有的事情』，當然就是齊白要傳送給我們的資料。

也就在這時候，齊白稱讚我們：『兩位很了得，能夠在那麼短的時間中，接收那麼多資料，畢竟那是兩位腦部首次有這樣的活動啊！』

當齊白稱讚我們的時候，我們已經完全知道齊白輸送給我們的是一些什麼記憶——其清楚知道的程度，甚至於還在自己原來的記憶之上，因為畢竟那是最新獲得的記憶，就像是最近經歷的事情一樣那樣清楚。

我和白素對於齊白的稱讚，只能相視苦笑。因為齊白傳送給我們的記憶，非常紊亂，簡直亂到了極點。我們猜想，這是因為原來齊白本身的思想就是這樣紊亂的緣故。

人腦有些情形和電腦相類似，剛才我們三人之間的情形，就可以比喻為將一台電腦的資料，轉輸入其他兩台電腦。所以如果原來那台電腦的資料很混亂，其他兩台接收到的必然也是混亂的資料。

而人腦要複雜得多，在接收到了混亂的資料之後，一定會努力整理，而整理的過程，必然運用一己腦部的功能。而由於每個人腦部功能不同，所以即使接收到的資料相同，在經過個人腦部消化整理之後，結果就會不同。

像這時候，我和白素接收了齊白傳送給我們的資料，我相信即使在經過初步的整理之後，就不會完全相同了。

只不過我和白素心意相通，對許多問題看法完全一致，所以即使有不同，相去也不會太遠。如果是和思想方法不同、立場相反的人，接收到同樣的資料，在經過各自腦部整理消化之後，就有可能得出完全相反的結論來。

上面兩段話，由於我和白素是直接接受了傳送資料之後想到的，所以聽起來好像很神秘。

其實這種情形，普通之極——接收到同樣的訊號，例如聽到了一些話，看到了一些文字，即使是非常明確的法律條文，也可以有許多種不同的反應，就是因為每一個人的腦部功能，都用自己獨一無二的方式運作的緣故。

那是和電腦大不相同之處——電腦一統，人腦獨立！

這是歷代獨裁統治者最痛苦的事情，他們的夢想是人腦運作統一！

那是他們的春秋大夢而已——不過這個夢的滋味一定很好，做了幾千年，到現在還有人在做！

卻說我和白素在收到了齊白給我們的資料之後，要在那一大堆雜亂無比、好幾十年的記憶之中整理出我們需要知道的東西來，並不是容易的事情。

即使原來就是自己的記憶，將需要想起來的事情和幾十年前的事情混在一起，也需要好好整理。

幾十年？不錯，一點都沒有誇張。

由於齊白本身思想混亂的緣故，他給我們的資料，有許多時間倒錯，會在思念李宣宣的時候，忽然想起他童年時期的許多事情。例如他想到的是他六歲那年，爬樹從樹上掉下來，壓塌了樹下的一座古墳，跌進了墳中，從此決定了他一生作為盜墓人的命運，等等。

這種類似的，根本不是我們所需要知道，甚至於根本一點知道的興趣都沒有的事情極多。

我們所需要的是一些主要疑問的答案，例加『陰間究竟發生了什麼事情』、『李宣宣怎麼樣了』、『借天嘉土王靈魂有何用處』等等。

然而在經過整理之後，發現主要的問題，幾乎完全沒有答案——沒有答案的原因非常簡單，因為齊白根本就不知道！

他自己都不知道：當然無法告訴我們。

這也罷了，麻煩的是，他對於發生了的事情，雖然不知道為什麼會那樣，可是卻作了種種的假設和推測——所有的假設和推測，其幼稚、無知、混亂、不合邏輯以及匪夷所思之程度，都難以想像，集中一百個溫寶裕，都比不上。

齊白本來也不是那樣沒有頭腦的人，之所以發生這樣的情形，當然是由於事情發生之後，他心緒大亂的緣故——據他後來自己解釋，他沒有成為瘋子，已經是上上大吉了！

所以最最麻煩的是，在他傳送給我們的訊號中，至少有百分之九十以上，是事情發生後他腦部產生的情緒！

豈止是麻煩而已，簡直是要命！

在事情發生後到現在，有好幾年了。在這幾年之中，齊白腦中產生的情緒，除了哀痛悲傷，還是哀痛悲傷。可是他哀痛悲傷得花樣百出，層次無窮。一浪接一浪，一浪還比一浪高；一波接一波，一波還比一波洶。

那種無窮無盡的傷痛，錐心瀝血，一下子全都輸入我和白素的腦部，使我和白素和他一樣——不，更甚，他的這些痛苦，是好幾年積累的，而我們卻要在剎那之間承受！

所以齊白才會稱讚我和白素！

因為這世界上，確然不是很多人能夠在這麼短的時間內，承受腦部產生那麼巨大傷痛的情緒的。

在我和白素竭力克制住心中的哀傷之後，將得到的關於疑問部份，整理出來。

最主要的當然是：李宣宣出事了！

可是齊白也不知道李宣宣出了什麼事和為什麼會出事，他只知道，李宣宣不見了！

在李宣宣不見之前，齊白就感到在陰間有些很不對頭的事情正在發生，可是他卻又不知道是什麼事情。他和李宣宣商議，李宣宣雖然在陰間很久了，可是也只是感到有些事情在發生，而不知道確切發生了什麼。

這必須從齊白和李宣宣在陰間的情形說起。

本來雖然我也到過陰間，可是對陰間的印象非常模糊，來，去，逗留，看到的和聽到的，以及綜合各方面的資料，都處於一種朦朧境界，無法確切說得明白。

這種情形，對我來說，無可厚非，因為陰間畢竟是外星人在另一個空間，用不同的時間方式所建立的一種存在，作為地球人，實在無法徹底瞭解。

例如李宣宣的身份，是陰間使者，那究竟是什麼的身份，我就不清不楚。

在接收了齊白傳送的資料之後，我以為可以對陰間有進一步瞭解了，誰知道大謬不然，齊白在和李宣宣在一起之後，全副心神，都放在和李宣宣相聚之上——只要兩人在一起，齊白完全不管是在陰間還是在陽間，不管是在什麼空間，對他來說，只要能夠和李宣宣在一起，就是最大的快樂。

所以他根本不想、也完全沒有興趣去瞭解陰間究竟是什麼狀況，他在那裡很久，可是對陰間的瞭解還遠不如我。至少我知道陰間的建立者是『一二三號』，而齊白只知道有陰間主人而已。

李宣宣是陰間使者，齊白不是——也沒有興趣。他由李宣宣作主，通過連他自己都不知道詳細情形的程序，使他的身體發生了若干變化，具有了一些顯然不是地球人能夠具備的能力，他也完全沒有放在心上——這一切都是李宣宣要他做的，李宣宣要他做什麼，他就做什麼，他的目的，只是要和李宣宣在一起，永遠永遠不再分離。

他慶幸，他滿足，他快樂，他非常非常享受那種極度滿足帶來的快樂。除此之外，他什麼也不關心。

在陰間，有許多複雜、龐大的儀器，對於那些儀器，我至少還知道其中有一大部份是那具『思想儀』，可是齊白卻也不知道。

齊白只知道，李宣宣會操作這些儀器中的一些，李宣宣也曾經向齊白解說過那些儀器的作用，可是在她說的時候，齊白卻只是望著她，看她美麗動人的口唇開開合合，有時候笑語殷殷，有時候蹙眉顰顰，只顧欣賞愛人，完全沒有留意說話的內容，所以結果他一點也不知道那些儀器有什麼作用。

李宣宣後來明白了齊白的癡情，當然也不再說了。

在陰間，有無數地球人的靈魂在，那些靈魂是處於一種什麼樣的狀況之中，作為不是靈魂存在形式的人，根本無法瞭解。

作為人，看出去，陰間的無數靈魂，都在像是一本很大的書裡面——這是我在去過陰間之後看到過的景象。那本『書』有許多許多頁，在我看到的時候，『書』豎立，有房子那麼高，散開加扇形，每一頁上都佈滿了小亮點，不計其數，每一點，就是一個靈魂。

這種景象，非但奇特，而且詭異，我甚至於每當想起，都難以肯定我是不是真的見過這種情景。

這種情景確然存在，齊白就對之非常熟悉。

齊白也知道那些亮點全是靈魂，李宣宣曾經對齊白說過，那些靈魂之中，一定有許多關於古墓的秘密，要不要向他們一一請教。

齊白的回答是：即使將全宇宙的古墓都給我，交換和你相處的一秒鐘，我都不答應！

由此可知，李宣宣在陰間，身份和齊白大大不同——她非但可以操作儀器，而且能夠和那些在陰間的靈魂有交流溝通。更可以知道的，是她和陰間主人，有緊密的接觸，齊白生命形式的改變，就是由她請求陰間主人進行的。

在明白了李宣宣在陰間的身份之後，就可以這樣做：如果陰間發生了什麼大變化，李宣宣應該知道。

事實上，齊白感到事情有些不對，也確然是從他感到李宣宣有些不對勁開始的。

李宣宣有些愁眉不展。

對任何人來說，這是小事，可是對齊白來說，卻是頭等大事。

齊白立刻發覺，他只是望著，並沒有發出詢問，李宣宣已經告訴他：『兩次了，我應該和陰主相會，可是在固定的所在等候，沒有奉到陰主的召喚。』

李宣宣一直稱建立陰間的『一二三號』外星人為『陰主』，這並沒有問題，反正只是一個稱呼，叫他們是外星人、陰主，甚至於冥王、閻王……等等，都可以。

齊白完全不知道李宣宣和陰主相會的內容，每次相會的情景，他倒是曉得的。

每隔上一陣子，就會相會——陰間沒有時間，所以也不知道是定期還是不定期。

每當相會時，李宣宣會站在一個好像大箱子的方形物體之前，然後按動上面一些按鈕，在她這樣做的時候，齊白總在她的身後輕輕擁著她。

等到李宣宣完成手續之後，她的身子會發軟——雖然李大美人的嬌軀本來已經夠柔軟的了，可是在這時候，更是叫齊白體會到什麼叫作『柔若無骨』的形容。

他最享受這一刻了，在這一刻，他美人在懷，飄然欲仙，根本不會去留意和陰主相會是怎麼一種情形。

在接收到了齊白給我們的資料，再經過整理之後，我們加以分析，有些現象，齊白只知道發生時候的情形，並不知道真正發生了什麼事情，反而我們經過分析，可以知道事情真實情況的一面。

像齊白所給的『和陰主會面』的情形，他經歷了許多次，可是不知其所以然。

而我和白素卻可以揣測，在經過了某些程序之後，李宣宣的靈魂一定暫時離開了身體，去和陰主相會了。

我們對齊白都有一定程度的惱怒——齊白實在混蛋，只顧在溫柔鄉中沉醉，竟然連李宣宣和陰主的會面內容，問都不問！而事實上，兩者會面，究竟做些什麼，至少應該關心，因為那有關生命、死亡、靈魂、外星人行為……無數疑問奧秘的答案！

而齊白竟然就輕輕放過了這樣大好的探索機會！

那兩次李宣宣在固定的程序之後，並未能和陰主相會，這是從來也沒有發生過的事情。由於李宣宣在進入陰間之後，一直都依照陰主的指示行事，所以突然發生了這種非常的現象，使她感到很徬徨。

從齊白的資料來判斷，李宣宣對於陰間的瞭解極少，甚至於還不如我，難怪我們多次問她『陰間使者是怎麼一回事』，她根本答不上來。

得出這樣的結論，很意外，相信這種情形是李宣宣從來一切都聽命行事，從來不問『為什麼』有關。

李宣宣很憂慮，她告訴齊白：『要是下一次還是未能和陰主相會，陰主在很久以前曾經說過，有這種情形出現，需要我採取行動，幫助他們。』

任何人在聽到了這樣的話之後，都會感到奇怪：為什麼陰主反而要人幫助？究竟有這種情形出現，代表陰主遭到了什麼樣的困難？可是偏偏聽到這番話的是齊白，齊白癡癡地望著李宣宣，對她所說的話聽而不聞，當然沒有發出任何問題，只是伸手輕輕撫摸李宣宣的眉心，因為美人眉心打結，他要去撫平它！

李宣宣顯然習慣了齊白對於她和陰間關係的不關心，所以也沒有繼續說下去。

然後就是又到了和陰主相會的時刻。

在做完了所有程序之後，李宣宣幽幽地嘆了一口氣，道：『陰主還是沒有召喚——我要照吩咐採取行動了。』

齊白還不知道就快大禍臨頭，並不在意，隨口道：『好啊！』

這時候李宣宣用十分深情的眼光望著齊白，欲語又止——齊白事後的後悔是：死人也應該可以看出她有話要說而又很難開口，一定是非常重要的話，可是我這個該死的卻沒有看出來！

齊白當時沒有看出事情的嚴重性，而只是感到李宣宣這樣的表情，又可愛又惹人憐惜，所以他的反應是將李宣宣緊緊擁抱在懷中。李宣宣也抱著齊白，在擁抱中，李宣宣道：『陰主不知道發生了什麼事情，我雖然曾經被吩咐過應該怎麼做，可是做了之後會怎樣，我也不知道……』

到了這種時候，齊白還是不知死活，他輕輕拍著李宣宣的背，道：『能有什麼大不了的事情，最多像當年目蓮救母一樣，將陰間所有的鬼魂全都放了出來！我再化身黃巢，殺人八百萬，替陰間補數！』

他這樣說了之後，自以為幽默，還笑了好一陣子。

在他開懷暢笑的時候，李宣宣緊靠著他，又說了一番話。

李宣宣在那時候說的這番話，對於日後發生的事情來說，肯定重要之極。

可是當時齊白卻只是自顧在笑——當人在不斷笑的時候，就很難聽到別人所說的話，即使說話的人緊靠著他。

齊白當時的情形就是那樣，李宣宣講的話，他至多只聽進去了三成，事後當然懊悔莫名，一想起就撞頭——不管撞向什麼東西，都用盡全力，連我們接觸到這一部份的事情時，仍然可以感覺到撞頭帶來的痛苦。

齊白後來無論怎樣想，能夠記起來的話，是隱約有印象，李宣宣曾經提到出現她要採取行動幫助陰主時，就是陰主有了意外，而她的幫助行動，也可能出意外。

意外是她不知道會進入陰間的哪一個部份，而且進去了之後，自己無法出來。

齊白記得他聽到這裡的時候，隨口回答了一句：『不要緊，不管在什麼地方，只要我們在一起，都是仙境！』

這話齊白是說慣了的，自從他和李宣宣在一起之後，這話不知道說了多少千百遍，所以說來順口之極，完全不必經過大腦。

李宣宣當時沉默了片刻，齊白只當她是在享受自己的甜言蜜語。然後李宣宣才又說話。

李宣宣接下來所說的那番話，幸而齊白總算聽入了耳，而且記住了，只可惜卻不是全部——這番話非常重要。李宣宣說道：『能夠在這種情形下將我找出來的，只有一個很特殊的靈魂能夠做到，這個特殊的靈魂，特殊在……』

李宣宣接著，說了幾句解釋這『特殊靈魂』何以特殊，齊白就沒有聽進去。

而且更糟糕的是：李宣宣一開始說話，就一直在說『我』，到最近一句，她說的是『能夠在這種情形下將我找出來的』說的還是『我』。

然而齊白卻從頭到尾，都將『我』聽成了『我們』。

齊白會有這樣的誤會，有他的心理因素——他和李宣宣在一起之後，就從來沒有想過自己和李宣宣還會分開，即使是分開一秒鐘，他也無法想像。

就是因為有這樣的主觀心理因素，所以他完全沒有想到李宣宣一直在說『我』，一直在告訴他，行動是她一個人的單獨行動，並非兩個人在一起。

所以齊白一直不以為意，也沒有仔細聽何以那個特殊靈魂會有用。他聽了之後，仍然隨口道：『不需要他來找啊！』

李宣宣顯然知道齊白還沒有意識到事情的嚴重性，她又嘆了一口氣，靠得齊白更緊，拳頭敲著齊白的額頭，道：『你記住了，這個特殊的靈魂，屬於一個人，這個人，叫天嘉土王！這是陰主特別吩咐過的。』

由於李宣宣說話時候的特別動作，齊白記住了這番話，而且回答：『天嘉土王，我知道這個人，天嘉土王嘛——』

當時齊白感到很疑惑，因為李宣宣提到的是天嘉土王的靈魂，這靈魂有什麼特殊，李宣宣可能解說過，齊白沒有留意，他這時候的疑惑是：如何能夠使天嘉土王的靈魂來到陰間？

產生了一個疑問，就會連帶產生許多疑問，齊白開始感到事情古怪，簡直全是疑問，無法理解。

當他意識到這一點的時候，他將李宣宣輕輕推開了一些，雙手仍然握住了李宣宣的手臂，和李宣宣面對面。

他想向李宣宣問個明白，可是問題實在太多，一時之間他不知道從何開始。而就在這時候，他看到李宣宣現出非常哀切的神情——對於這種極度哀痛的神情，齊白並不陌生，最早，他們生離死別的時候，他面對的就是這種神情。

那是真正的千年哀傷！

齊白以為自己再也不會看到李宣宣有這種神情，那種噩夢重臨帶來的衝擊，使得齊白在剎那之間，簡直全身僵硬，連血液都彷彿停止了流動。

而就在這時候，李宣宣將齊白輕輕一推，推開了些，同時她自己的身體向後退。

在她身後，是那個很大的箱形物體，齊白看得很清楚，李宣宣身體後退，背碰在那物體上的時候，還停了一停，然後很快的，她的身體就陷進了那物體之中，最後還有一隻手在外面，向齊白做了像是揮手告別的動作，接著，連那隻手也隱沒不見了。

這一切經過，由於是齊白直接將他的記憶輸送給我們的，所以我們如同親眼目睹一般。

情形十分詭異，不過即使是齊白，當時也不是極度吃驚。因為李宣宣一直有突破空間的能力，簡直可以說神出鬼沒。所以這種景象並不算特別奇特。

齊白在到了陰間，經過了改造之後，也有這樣的能力，所以他在看到李宣宣隱沒之後，立刻撲向前，也想進入那物體。

可是結果卻是他重重地撞在那物體之上，並沒有像李宣宣那樣隱沒在物體之中。

由於他撲向前去的時候非常用力，所以撞上去之後，反彈了回來，跌倒在地上。這一跌，反而令他清醒了不少，他想起李宣宣剛才那番話有許多不可解的地方，也想起李宣宣那種哀傷的神情和最後那隻手像是告別的揮手。

當他意識到了這些的時候，他就知道事情不妙：李宣宣離開他，事情絕不簡單。接下來，他完全無法控制自己的行動，不知道自己做了些什麼——這一段時間內，他的記憶更是混亂到了極點，我和白素也完全無法理解。

我們接收到的是他在那段時間中的情緒，那是混亂、悲傷、絕望、憤怒、痛苦……種種情緒的交集。

我和白素受這種情緒的影響（感同身受），我們自然而然雙手緊握，身體發抖，雖然臉上有化裝，可是汗珠還是在不斷沁出來，以致空中服務員不斷來問我們發生了什麼事情，是不是需要幫助。

由此可知，失去了李宣宣的齊白，在那段時間中，是處於何等可怕的狀態之中。

我們無法知道這段時間持續了多久——事實上連齊白自己都不知道。

然後他就開始在陰間尋找李宣宣。

由於他對陰間的事情沒有興趣，所以一直沒有怎樣注意陰間的環境，一直只是李宣宣走到哪裡他跟到哪裡而已，李宣宣在操作一些儀器的時候，他也沒有注意。有時候李宣宣向他解釋什麼儀器有什麼作用、如何操作等等，他也左耳入右耳出，沒有放在心上。

而有很多空間，要進入都要經過一定的程序，李宣宣會操作這些程序，齊白卻不會。

所以當他開始要在陰間找人的時候。他發現自己在陰間可以到的地方並不多，而且在那些地方的儀器和設施，他也完全不知道如何啟動利用。

他所能夠做的，第一步是亂來——凡是可以按動的、移動的，他都按動和移動。

可是不論他如何動作，一點反應都沒有，那些儀器和設施都好像報廢了，根本不再有任何作用。

同時他也不放棄進入李宣宣隱沒的那個物體，同樣是用盡方法，無法如願。

於是他開始了第二步行動：破壞。

他的用意是，如果他在陰間進行大規模的破壞，陰間主人一定阻止和干涉，那麼他就可以要陰間主人將李宣宣交出來——李宣宣是在陰間不見的，齊白不認為她會離開。而他的破壞行動，如果能夠將李宣宣逼出來，那當然什麼問題都解決了！

可是當他開始進行破壞的時候，卻發現他所能破壞的東西，少之又少。原來在陰間的東西都非常古怪，以前都是李宣宣在擺弄這些東西，齊白連碰都沒有碰過。那些東西，大多數巨大無比，都是一座一座的儀器，齊白想要破壞，也無從下手。

像李宣宣隱沒的那個箱形大物體，齊白想要破壞它，就如同蜻蜓撼石柱一般，不論他如何出力，也動不了它絲毫。

而小件的物體，有的放到操作台上，有的附在儀器上，都是些形狀奇怪的不知名物體，有些物體更是古怪，要不然，看起來很小的東西，其重量卻驚人，齊白好不容易才能將之推到地上，卻無法拿得動，看來也起不了什麼破壞作用。

（我立刻想到曾經流落人間的陰間物件，『奪命環』和它的盒子都奇重無比，重量和它們的體積完全不成比例到了無法想像的地步。）

而更令齊白奇怪的是，有比較大的物件，看起來應該是沉重，他用力雙手去拿，卻又其輕無比——輕到了幾乎一點分量都沒有。

有一個像磨盤大小的東西，看起來至少有幾十公斤，可是雙手一捧，卻完全沒有重量，將它拋出去，也是輕飄飄地像拋出了一個氣球一樣。

這些情形，由於是齊白直接將他的經歷記憶輸入我們的腦部，所以我們如同親歷一般。而我將之敘述得比較詳細，是因為一到了這一部份，我們就立刻想起了天嘉土王寶庫中那個形如鐵鎚的怪東西。

那怪東西也是看起來很重，可是實際上卻其輕無比——天嘉土王說它只有十分之一克！

這一點非常重要。

我曾經設想過，天嘉土王信奉的『天神』，和建立陰間、擁有思想儀的一二三四號、狄可他們是同一類外星人。當時我這樣的設想，只不過是根據他們對人類思想都有捕捉、搜集的能力來判斷的而已，並沒有實質的證明。

然而現在知道，物體體積可以和重量完全不成比例，是陰間物體的特徵，那麼兩者之間就可以聯繫得上了。

本來天嘉土王和陰間可以說一點關係都沒有，所以無法令人明白何以李宣宣在離開之前，會提起天嘉土王的靈魂來。

而如今肯定了兩者之間的關係，事情就比較容易解釋——雖然還有太多疑問，可是總算有了一個開頭。

至少可以設想天嘉土王寶庫中的那怪東西，也有可能是『思想儀』的一個組成部份。

我立刻又聯想到，在土王接受考驗的那個山洞之中，也可能有更多的思想儀組成部份在——勒曼醫院那麼緊張要到那山洞去，是不是他們早已想到了這一點？

本來是兩椿風馬牛不相及的事情，卻由那件怪東西拉到一起來了。

我自然而然再想到的是：勒曼醫院那些外星人，是急於想得到思想儀，利用思想儀去控制宇宙間其他的高級生物，還是真如亮聲所說那樣偉大，目的是毀去思想儀，不讓這種可以控制思想的東西為禍宇宙？

想到了這裡，自然而然，我和白素互望了一眼，都覺得那怪東西的地位極之重要——它如果是思想儀的一個組成部份，『天神』特地將它分出來保存，可知是重要部份。思想儀必須完整，才能發揮最大的作用，也就是說，少了那怪東西（重要部份），作用就不能完全發揮：要使思想儀這種東西不能為禍宇宙，這怪東西當然是一個關鍵。

一時之間我們想到的事情實在太多，思緒非常紊亂。一二三四號和狄可的關係已經夠複雜的了，如今再加上『天神』，看來這類製造了思想儀的外星人，他們的宇宙航行行動非常龐大，據知道的資料來看，至少他們已經有三批人到過地球了！

由於齊白的記憶和我的記憶交雜在一起，所以思緒紊亂的程度，加倍也不止。我在敘述的時候，已經一再加以整理，可是情形實在古怪，也無法做到單一敘述的清晰，看起來相當複雜，這也是沒有辦法的事情。

（兩個人的記憶存在於一個人的腦部，這種人類從來沒有發生過的情形，人類文字實在難以非常確切表達。）

不說當時我們聯想到的許多問題，再說齊白在陰間的行動。他在破壞行動顯然無效之後，總算稍微冷靜了一些。他回到李宣宣隱沒的那個巨大的箱形物體之前。

他先是非常努力企圖回憶李宣宣在這個物體之前，和陰主溝通時進行的程序。

可是他立刻就放棄了努力，因為那些程序相當複雜，當時李宣宣在進行的時候，他又完全沒有留意，所以現在根本無從著手。而且他也想到，就算他能夠完成這些程序，也沒有用處——李宣宣就是三次完成程序之後，仍然無法和陰主聯絡，這才發生了事情的。

齊白將額頭抵在那物體上，儘量使自己心情平伏，開始回想李宣宣離開之前的情形。

每當他回想到當時沒有留意李宣宣所說的話，以致現在什麼都想不起來的時候，他就將自己的頭，重重去撞那物體——這種行動當然不能夠使他想起當時沒有留意的話來。

在經過頭部和物體不知道碰撞了多少百次之後，齊白總算整理出了一個不清不楚的頭緒來——這倒不能怪齊白，因為實際上究竟發生了什麼事情，李宣宣也不知道。所以就算齊白將當時李宣宣所說的話每一句都記住了，對整件事情，還是不清不楚的。

齊白整理出來的結果，是：

一：陰主出了事，所以無法和李宣宣聯絡。

二：李宣宣要去幫助陰主。

三：陰主以前提到過可能有這種情形發生，需要李宣宣幫助；而李宣宣幫助的過程，可能有危險和不可測的事情發生。

四：李宣宣如果也有了意外，能夠解救的，只有天嘉土王的靈魂。

這是齊白總結出來的結果——至於是什麼意外，又為什麼牽涉到了天嘉土王的靈魂，齊白一無所知。而我和白素得出的結論是：建立陰間的一二三號，肯定和『天神』有關係，而且知道天神曾經和土王王族有關連，這就是為什麼一二三號告訴李宣宣她如果有麻煩，可以向天嘉土王求助。

在這些複雜的關係之中，有一條線在隱隱串連，將『天神』、『一二三號』、『天嘉土王』……看來完全沒有關係的人物，串在一起。而所有的人物，再包括『狄可』、『四號』在內，又都全和思想儀有關。

卻說齊白有了這樣的結論，當然知道自己應該採取什麼行動——找天嘉土王，商議借土王的靈魂一用。

於是齊白才會在天嘉土王接受考驗的前夕出現——齊白不是白癡，他當然知道向任何人借靈魂都不可能成功，他是為了要救李宣宣（他認定李宣宣在陰間遭到了不幸），才明知不可為而為之的。

這是一場滑稽戲！

而更滑稽的是，當時如果問齊白，天嘉土王若是答應了他的要求，下一步應該是怎麼辦，齊白是完全沒有答案的。

所以當天嘉土王發現自己的靈魂無法離開身體之後，想起齊白曾經有『借靈魂』的要求，就以為齊白一定有方法可以使他的靈魂離體，所以才想找到齊白。

天嘉土王的行動，其實是第二場滑稽戲。

然而出乎意料之外的是，兩場看來毫無作用的滑稽戲，連在一起，卻使人有了重大的發現，這發現就是：『天神』和『一二三四號』、狄可他們，是同一類外星人！

而這類外星人，因為創製了思想儀，而將自己放到了宇宙公敵的地位。

不能不佩服亮聲他們的敏銳感覺——他們一知道土王接受考驗的那個山洞之中，有接收思想的裝置，就聯想到了那和思想儀有關。我不是很清楚他們外星人之間的協定如何，只是從亮聲的話中知道許多種外星人聯合行動，要將思想儀找出來。

在地球人中，和思想儀關係最密切，和思想儀接觸最多，對思想儀瞭解最多的，當然就是我和白素。

我們和所有外星人一樣，對思想儀這類東西的存在，深惡痛絕，本來和那些外星人立場一致，可是亮聲他們有非常明顯的對我們進行排斥的行為，使我們感到他們行為有不可測之處。

在這方面，白素比我細心得多，她想到了天嘉土王寶庫中的那怪東西，有可能是思想儀的主要部件。

既然那些外星人對我們有排斥，來而不往非禮也，我們當然也應該對他們有所保留。

所以白素當時決定我們先將那怪東西取到手再說。當時這樣的決定，看來意義並不重大，然而在得到了齊白所給的資料之後，『天神』和思想儀之間肯定有非常密切的關係，這就變得意義重大──少了那怪東西，思想儀就不完整，就不能發揮全部作用！

我望著白素，向她點了點頭，表示她有先見之明。

白素卻嘆了一口氣，道：『主要的問題還一點頭緒都沒有：如何能使天嘉土王靈魂離開身體──』

我道：『還有如何能夠將李宣宣從陰間找出來？』

白素苦笑：『一二三號究竟在他們自己建立的陰間發生了什麼事情？』

我對於一二三四號他們那種外星人，一直沒有好感，覺得他們將許多地球人靈魂集中一處，必然有不可告人的圖謀，其心可誅！而且他們製造了思想儀這種東西，顯然是對其他高級生物的侵犯──也是對他們自己同類的侵犯。

所以當白素這樣問的時候，我順口哼了一聲，回答道：『誰知道，鬼頭鬼腦，或許是叫狄可抓回去了！』

我只不過是隨便說說而已，可是白素卻認真地考慮了片刻，道：『這是最大的可能。』

我怔了一怔，仔細想一想，確然，一二三號，在陰間逍遙快樂，唯一忌憚的就是被狄可抓回去。照說，他們的能力，不應該會發生什麼意外。

而如今陰間的情形，不但是一二三號不見了（李宣宣無法和他們聯絡），而且陰間的所有儀器和設施，也停止了運作。

這些情形都說明一二三號確然出了問題，能夠使他們出問題的，最大可能就是狄可！

我連帶又想起一些問題來：

在這種情形下，原來在陰間的那麼多人類靈魂怎麼樣了？

這當然是一個大問題，可是那時候我反而更開心：四號怎麼樣了？

如果一二三號叫狄可抓了回去，那麼四號是不是也遭到了同樣的不幸？

四號為了爭取個體獨立的生活方式，堅決和原來星體脫離關係，單獨生存，不肯歸隊，我非常佩服他的勇氣——要以單獨一個生命體來對抗整個星球生命體的生活方式，沒有非凡的勇氣，連想都不敢想，別說付諸實行了。

而四號卻毅然為之，而且一直很成功。

如果他結果還是失敗，那實在太可惜了。

我想到這裡，自然而然搖了搖頭，嘆了一口氣。白素顯然也有同感。而就在我們唏吁扼腕的時候，齊白的聲音來到，顯得相當憤怒：『別看戲掉眼淚，替古人擔憂了，外星人神通廣大，會有什麼！我宣宣怎麼辦？天嘉土王能救她嗎？』

我吸了一口氣，白素已經先回答：『從已經知道的事實來判斷，我們不認為你的宣宣會有什麼值得你這樣擔憂的理由。』

齊白有幾秒鐘沒有出聲，顯然白素的話給了他極大的安慰——自從事情發生以來，可能直到此刻，他全身繃緊了的神經，才能夠鬆開來。

我知道白素要搶先說的原因，因為同樣的話，由我來說，說服力就會差許多。

齊白後來說：『聽到白素這樣說，立刻就放下心來——她的話，能使人相信，不像衛斯理，一貫胡說八道。』

真是豈有此理至於極點——人和人之間，不能太熟，太熟了就容易起侮慢之心，齊白對我的評價，就是出自這種心理。

當時齊白在沉默了片刻之後，焦急地道：『可是……可是她在哪裡？』

白素回答得不肯定，可是語氣很鎮定：『她應該還在陰間——由於我們對陰間所知極少，所以許多問題都沒有答案：她現在處境如何？為什麼隱沒之後不再現身？為什麼完全失去聯絡？陰間究竟發生了什麼事情？天嘉土王能不能在這件事情上起作用？等等等等問題，都沒有答案！』

白素一口氣說了許多問題，都是齊白想問的。既然白素的結論是『都沒有答案』，齊白除了嘆氣之外，也無話可說。

白素繼續道：『事情也不是完全沒有進展，至少我們已經可以肯定，天嘉土王確然和事情有關連——應該說天嘉土王信奉的天神和陰間主人有關連……』

白素接著將我們整理了他傳送給我們的資料之後，我們得出的假設和結論告訴他。

我偶然加一些補充。這時候我們三人的談話情況奇特之極，全不使用語言，只是腦部活動能量的互相傳送。而且雖然說是三個人在談話，可是在現場的只有我和白素，齊白不知道在什麼地方——或者應該說不知道在什麼空間。

我關照他千萬不要突然現身——飛機機艙中忽然冒出一個人來，所引起的驚駭，難以想像。而我和白素是經過了精心化裝，要去進行秘密任務的，不想節外生枝。

齊白總算合作，當然在接收了我們的分析之後，他也知道事情雖然還是茫無頭緒，可也不是一片黑暗，情況是：我們看到了一點亮光，在我們前面閃動，還不能具體掌握。

這種情況當然不能說可以解決問題，不過總有一個方向可供前進。我們又告訴齊白，雖然天嘉土王已經詳細說了進入寶庫的方法，但是在過程中，還是需要他這個精通一切機關秘道的盜墓專家出一分力。

所以我們請他在寶庫附近和我們相會，共同進行。

齊白立刻答應——我們感到了他有愉快的情緒，顯然對事情充滿了希望。

到了機場，在前赴寶庫途中，感到當地的氣氛很不尋常，好像是有什麼大的慶典要舉行，很快的我們就知道是為了什麼，傳媒正在廣泛報導：天嘉土王應天神的召喚，要再次進入上次接受考驗的山洞，去接受天神的指示。

對於虔誠信奉天神的當地民眾來說，這是頭號大事。因為他們相信天神將給予土王十分有利的指示。

所以民眾情緒高漲，準備大量湧往那山洞附近去，情況和上次天嘉土王去接受考驗相仿。

傳媒又報導說，早些日子由於天嘉土王很久沒有露面，傳出他身體健康狀況欠佳的謠言，有許多對天嘉土王不利的小動作出現，現在當然也已經一掃而空。

我和白素都感到奇怪——天嘉土王目前的情況，我們再清楚不過。我們才分開沒有多久，難道在不到一天的時間中，勒曼醫院已經找到了使天嘉土王靈魂離開身體的方法？

原來行動的安排是：小郭陪天嘉土王到勒曼醫院去——在那裡，天嘉土王垂死的身體可以得到最好的照顧。

而亮聲和若干勒曼醫院外星人，則到那個山洞去，尋找天神是不是有將靈魂和身體分離的方法留下來——這是他們表面上的說法，我揣測他們真正的目的是想發現和思想儀有關的東西。

可是現在怎麼都變了呢？

若是天嘉土王狀況沒有改變，他絕對不能露面，只要一亮相，人人都可以看出他命不長久。若是已經對他進行了更換身體，勒曼醫院竟然不告訴我們，那就太可惡了！

白素比較沉著，她道：『我想，亮聲他們是估計要進入山洞，無法偷偷進行，所以就索性大張旗鼓。』

我哼了一聲：『他們能夠讓天嘉土王亮相嗎？』

這句話才一出口，我就伸手在自己頭上打了一下，同時白素也瞪了我一眼。

當然是我在說這句話的時候，沒有想到：勒曼醫院中有天嘉土王的複製人，弄一個來，不讓別人太接近，就誰也不會發覺。

借天神要召喚的名義，大張旗鼓到山洞去，確然是最好的辦法，想不到那些外星人，也會耍這種把戲。

猜透了亮聲他們的花樣，當然可以不加理會，我們還是照原來的計劃，到寶庫去。

等到我們來到目的地，齊白早就到了，而且做了不少工夫，將守衛的飲水源下了藥，所有守衛都昏迷不醒。

齊白很得意：『我們有六小時時間，足夠了吧！』當然足夠，我們一起到了寶庫頂上，在我照天嘉土王所說運作的時候，齊白讚嘆不已，一再說：『這裡的設計，真正是鬼斧神工！絕對可以肯定，不是地球人所為。』

齊白這種說法，倒大有衛斯理作風，我當然同意。

等到進入寶庫之後，齊白看到寶庫中的那些破爛東西，不禁大搖其頭。我在未曾進入之前，很恐怕那怪東西不再在寶庫之中，不過一進去就看到了。

顯然對於寶庫中的任何東西，天嘉土王都當作是天神所賜，非常重視，不敢妄動，所以那東西還放在原來的位置。

我躍向前，將那東西抓在手中，揮了幾轉，向齊白叫道：『接住了！』

然後我鬆手，將那東西向齊白拋去。由於那東西很輕，所以在被拋向齊白的時候，景象非常怪異，像是電影中的極慢鏡頭一樣。然而齊白卻並沒有大驚小怪——他在陰間進行破壞的時候，曾經亂拋東西，其中有不少在被拋出的時候就是這種樣子，那些東西也輕得一點分量都沒有。

從這一點來看，這東西和陰間的一些東西有密切的聯繫，是毫無疑問的事情。

齊白曾經受陰間主人所託，在許多古代帝王的墓中，尋找失散的思想儀的部件——思想儀的任何一件部件，都有它的獨特作用，流落在地球上，就成為『神仙留下來的寶物』，而最終的歸屬，都會到帝王那裡。

而帝王在死了之後，也幾乎必然會將寶物拿來殉葬，所以齊白確然在各地帝王墓中找到了一些不知名物體，都證明是思想儀散落的部件。

這時候，那怪東西『飄飄然』一來到齊白面前，齊白伸手抓住，神情十分疑惑，盯住了那東西看。

我和白素互望了一眼，都不去打擾他，看他的樣子，顯然是看到了那東西之後，想起了一些什麼事情。

過了好一會，他現出很失望的神情，搖了搖頭。

我道：『有一些印象，可是卻想不起來？』

齊白樣子很苦惱：『是……』

我想提醒他，事情非常重要，需要努力想一想，可是還沒有開口，就被白素制止——我明白白素的意思：在這種情形下，越是要努力想，有時候反而更想不起來。倒是放鬆心情，會忽然有了記憶。

齊白側著頭，動作相當古怪：他一手拿著那東西，一手伸出食指，從那東西的尾部開始，順著那東西移動，繞了一周，又回到原來的尾部。

這種情形，就像是他的手指是一種電腦掃描感應棒一樣——順著物體掃描一遍，物體的形狀大小就會輸入電腦。

然而齊白現在有這樣的動作，究竟有何意義？

看齊白一臉茫然的樣子，顯然他自己也不知道為什麼要這樣做，那是一種下意識的動作，在他的記憶之中，對那東西的形狀一定有模糊的印象，所以才會那樣做。

可是由於印象實在太淡，所以他完全想不出所以然來。

我們進入寶庫，目的就是取那怪東西，這時候東西已經到手，是非之地，不宜久留，我向白素使了一個眼色，白素先向外走，我拉了齊白一下，一起離開。

這次行動，順利之極。可是行動雖然完成，卻沒有任何意義——我們得到了那東西，可是卻完全不知道它有什麼用處。

白素道：『我們原始目的，是為了要思想儀不能完整復原，這東西如果是思想儀其中的一個部件，我們只要保留它，目的就算達到了！』

齊白叫起來：『那可不是我的目的。』

我還是忍不住，在他背上用力拍了一下，道：『你對這東西有印象！好好想一想，想到了，或許就能達到你的目的。』

事情和找不找得到李宣宣有關，齊白當然不敢怠慢，他很認真地點了點頭，道：『那麼這東西由我來保管，我日夜對著它，可能會想起它究竟是什麼東西來——真的，我確然有印象……』

他說到這裡，苦笑，搖了搖頭。

我提議：『想得到這東西的人不少——全是外星人，你是不是需要找一座隱蔽的古墓躲起來慢慢研究？』

我甚至於不提議他回陰間去研究，因為如果那東西是思想儀的主要部件，那麼最想得到它的，就是陰間主人，回陰間，等於是送上門去。

而除了一二三號之外，四號，尤其是狄可，也是渴望得到思想儀主要部件的，這些外星人都神通廣大，齊白絕對不是對手。

在以前齊白給我的資料之中，我知道齊白發現了許多非常隱蔽的古墓，他在進入之後，離開時重新加以封閉，就算是外星人也不容易發現，所以我才這樣提議。

齊白對我的提議，認真考慮了一會，搖頭道：『不，我還是……還是回到陰間……好。』

他的神情非常遲疑，完全是想不起一件非常重要事情的徬徨，他在這樣說的時候，望著我和白素，露出求助的眼神。

我剛想告訴他，要是回陰間，一二三號會搶奪那怪東西，可是一轉念間，又想起一二三號可能根本已經不在陰間，那也就無所謂了。

就在這樣一個猶豫之間，沒有開口說話，就又接觸到了齊白求助的眼神，同時腦部接收到了他傳送過來的訊號——那是一種很奇妙的感覺，尤其訊號來自熟人（知道他是地球人）。

齊白傳來的訊息非常簡單：『幫我想想！』

雖然已經可以腦部訊息直接交流，可是視覺系統所起的接收訊息作用，還是有一定的用處——我同時看到了齊白揚了揚手中的那個怪東西。

兩種訊息加在一起，意思就更加清楚：齊白是要我幫他想一想他對那怪東西的印象，從何而來。

我又好氣又好笑，他自己都不清楚，別人怎麼能夠幫他想，我揮了揮手，道：『我怎樣——』

可是一句話沒有說完，腦部突然又收到了白素傳來的訊息。

我將這一段小小的經過敘述得十分詳細，是因為那是我，和白素腦部直接接受訊號的初步經驗，非常寶貴，而且感覺非常奇特的緣故。

後來這種情形經常發生，也就不算什麼了。

白素傳來的訊息是：『對了，我們幫他想一想——旁觀者清，或許我們會想到什麼。』

白素提醒了我——我們確然是可以幫齊白想一想的，因為齊白將他的許多記憶輸送給了我們，我們當然可以在他的記憶之中，搜尋有關那怪東西的印象！

這又是另一種奇特無比的經驗：從別人的記憶之中去找回憶，而這別人的記憶又是在我的記憶系統之內——要說明這種情形，都非常繞口，實際感覺，當然更加古怪，若不是親身體驗，只怕不論怎麼說都難以說明白。

我要想出這件怪東西究竟為什麼會在齊白記憶中留下印象，卻完全不知道該如何開始，所以想起來的全是齊白在陰間許多雜七雜八的事情。

這些事情在齊白將他的記憶傳送給我們的時候，都已經出現過，所以現在想起來的時候，是一種回憶。

回憶很快掠過許多事情——情況類似錄影帶快速前捲，有時候會在某一點停上一停，然而因為和要想起來的事情沒有關係，所以又繼續『前捲』。

這樣經過了不知道多久——齊白給我們的記憶很多，又凌亂，再加上強烈的情緒在搗亂，實在無法做有系統的回憶。

我很不耐煩，想要放棄，偷偷望向白素，只見她非常全神貫注，眉心打結，正在盯著齊白手中的那怪東西看，齊白也像是知道白素可能想到了一些什麼，走近白素，將那東西用雙手托著，橫在白素的面前。

而白素也開始有了動作。

她的動作很怪——如果不是以前看到過齊白有過同樣的動作，或許怪的感覺不會如此強烈，而正因為齊白做過這樣的動作，所以看起來格外古怪，而且非常詭異。

白素的動作是：她的手指沿著那怪東西移動，像是在掃描那東西的形狀。

齊白就曾經這樣做過，肯定這樣的動作，在齊白的記憶之中有一定的作用，可是究竟有什麼作用，卻連齊白自己也說不上來。

現在白素有了同樣的動作，當然也是來自齊白的記憶。

我正在想著，更詭異的事情發生：我不由自主，也伸出手指，和白素做起同樣的動作來！

由於那怪東西不在我的面前，所以我在做同樣動作的時候，就變成在空中劃出那怪東西的形狀來。

而就在那電光石火之間，我腦部正在進行的記憶搜尋像是放映中的電影突然『停格』，停止在一個『畫面』上。

那畫面是李宣宣在一個很大的箱形物體之前。

記憶告訴我，那是她和陰主聯絡時所在的位置。在那箱形物體之前，她要經過一番複雜的程序，才能和陰主取得聯絡。她那時候正在進行這種程序。

程序的過程很模糊——因為當時，記憶的主人齊白並沒有留意李宣宣的動作，齊白在李宣宣背後，輕輕抱住了她，將臉貼在她的背上，正在爭取每一秒鐘時間的溫存。

在那種情形下，他眼中看出來的一切，都模模糊糊，因為他根本沒有注意。

然而他既然在李宣宣的背後，李宣宣有些什麼動作，雖然當時沒有留意，可是也是看在眼裡的，只不過留下的印象十分淡薄而已，所以他要刻意去想，並不容易想得起來。

而這時候他的記憶在我腦中，『停格』之後，變成很緩慢的動作，我卻可以回憶起李宣宣的動作來——她伸出手指，在那箱形物體上移動，手指移動所畫出來的圖形，像是一個相當大的空心英文字母『T』，不過『柄』太長，上面那一橫又太短，看來像她畫的是一柄鐵鎚。

一柄鐵鎚！

當我感覺到這一點的時候，我陡然發出了一下呼叫聲──那怪東西的形狀正是如同一柄鐵鎚！

我立刻又發現李宣宣手指畫出的大小長短都和那怪東西一樣。李宣宣在那箱形物體上畫那怪東西的形狀，畫了一個又一個，從我留意開始，一共畫了七個。

然後她停手，身子略靠向前，將額頭抵在那箱形物體上。齊白仍然在她的身後，在問：『還是聯絡不上？』

李宣宣嘆了一口氣，搖了搖頭──回憶到了這裡，事情再明白也沒有了：李宣宣在箱形物體上畫那怪東西的圖形，畫了七個，那正是她和陰主聯絡所需要進行的程序！

而那怪東西必然是出入那箱形物體的工具，類似鑰匙，畫出它的形狀，可以和陰主聯絡。李宣宣自身能夠進入這箱形物體，可能是出於陰主的特別傳授，只能在緊急的時候使用，而且效果不是很高─

——李宣宣只可以自己進去，不能帶齊白一起進去。

而且李宣宣也被告知，她進去了之後，不知道會有什麼樣的遭遇，而且肯定無法出來，如果要出來，就必須要有天嘉土王靈魂的幫助。

這是一二三號告訴李宣宣的。

我推測一二三號在這方面，並不是完全知道事實——他們可能只知道天嘉土王信奉的『天神』是他們的同類，和思想儀也有一定的關係。他們也知道天神和天嘉土王的祖先有很密切的關係，也可以假設那怪東西和天神一向關係密切。因而他們知道那怪東西和天嘉土王有關，找到天嘉土王，就有可能找到那怪東西。而那怪東西是出入箱形物體的鑰匙，所以他們告訴李宣宣，她進入之後要出來，就必須找天嘉土王。

正確的事實是：找天嘉土王，目的是要那個怪東西！

而被誤解了的是：找天嘉土王，目的是要借他的靈魂！

我不知道怎樣會有這樣的誤解，最有可能是一二三號知道天神曾經對天嘉土王祖先的腦部進行改造，使靈魂不能離開身體，而這種情形通過遺傳密碼，一直遺傳了下來，一二三號提到過這種情形，而李宣宣對這種情形無法理解，只記住了『天嘉土王』、『靈魂』等等，所以才誤會為要向天嘉土王借靈魂！

這一切我想到的，記述起來頗費工夫，事實上在當時，只是腦中靈光一閃，一剎那間的事情。

等到我有了結論，頓時覺得清光大來，本來不清不楚的許多疑問，都不再存在，心中的愉快，難以形容。

我忍不住哈哈大笑，向白素和齊白望去，準備將我這種非凡的發現告訴他們，卻不料他們正望著我，白素在微笑，齊白則興奮無比，不知怎樣，他們看來神情相當古怪。

我怔了一怔，立刻明白：『你們接收到了我腦部運作的訊號？』

他們接收了我腦部運作的訊號，就自然知道我想到了些什麼，不必我再通過語言來告訴他們了。

可是齊白居然搖了搖頭，道：『我們是自己想到的——衛夫人先想到，然後是我，再然後——』

我不等他講完，就道：『雖然最遲，可是我沒有受到任何外來影響！』

白素微笑，道：『現在我們不妨交換一下各自所想到的，可以互相補充。』

我和齊白點頭，我們就進行腦部訊息直接交流，三個人所想到的立刻滙集在一起——幾乎沒有出入，只是白素想得比較仔細，她想到，有可能要將那怪東西，貼上那箱形物體七次，才能利用它的力量進入。

白素想到的這一點非常非常重要，因為要七次同樣的手續，很是繁複，齊白一心以為已經得到了鑰匙，可以進入那箱形物體，而不知道程序要七次之多的話，後果真是不堪涉想！

他滿懷希望，以為一定可以進入，去救李宣宣，不會無緣無故進行七次程序，而他不依照程序，就不能進入，他一定會以為那東西其實並無用處。

他會從希望的最高峰摔下來，以他的精神狀態來說，肯定經受不起那樣的打擊，結果會怎麼樣，實在無法想像。

白素留意到了李宣宣畫那怪東西圖形的時候，畫了七次，所以才特別提醒齊白。

齊白在當時可能還並不以為意，後來當然知道了白素的細心觀察，使他得救，令他感激莫名——這是後話，表過不提。

當時齊白幾次性急，要帶著那怪東西立刻到陰間去，都被我和白素阻止——有一些問題必須先有協定，不然他走了之後，若是音訊全無，我們又無法去找他，事情就變成沒有下文了。

齊白給我們阻著，雖然很有耐心，可是到後來，也急得抓耳撓腮，甚至於滿頭大汗，等到我大喝一聲：『滾吧！』

齊白果然立刻要倒地打滾，我自然而然要去扶他，可是一伸手卻扶了個空——他已經不見了。

李宣宣有帶人入陰間的能力，齊白沒有。我和白素都曾經被李宣宣帶到陰間去過，知道進入陰間的過程，這『空間突破』對於地球人來說，不可思議之極，但是需要的時間並不太多。

（不知道那過程中的時間是以『單向』、『雙向』還是『多向』來計算的？）

齊白走前，我們的協定，首先是我提出來的：天嘉土王的事情怎麼辦？

如今這件事情飲水思源，是從天嘉土王誤會齊白有能力釋放他的靈魂開始的，所以應該先解決他的問題——當時我認為解決這個問題的方法，應該在陰間，因為陰間是專門為處理人類靈魂而設置的一個空間，所有有關人類靈魂的問題，都應該在那裡解決。

當時白素有不同的意見，她認為禁錮靈魂是『天神』所為，所以解決的方法也要從天神著手，她推測在進入那個山洞之後，應該會有所發現。

而齊白的態度是攤了攤手，道：『我不會有辦法。』

可能是由於他對天嘉土王沒有什麼好感，所以這時候態度相當惡劣。我向他手中的怪東西指了一指，提醒他若不是天嘉土王幫忙，他什麼希望都沒有！

齊白居然面有慚色，道：『只要能夠見到宣宣，我們一定努力尋找可以釋放他靈魂的方法。』

這是第一個協定，第二個協定是和他的聯絡方法。

齊白立刻道：『腦能量傳送！我保證不論情形如何，我都將一切凡是經由我腦部活動產生的訊息，全部向兩位傳送！』

他說得如此肯定堅決，雖然這正是我準備向他要求的，可是聽了之後，我還是大搖其頭——連雙手也一起搖動。

我這種表示拒絕的動作，令齊白大惑不解，望著我，白素在一旁已經笑起來，我急忙道：『不必全部！不必全部！只要選擇需要給我們知道的傳送給我們就可以了！』

我還怕他不明白，又補充：『若是全部，你和愛人重逢，那些肉麻感覺也傳送過來，我們受得了嗎？』

由於我們曾經接收過他悲傷哀痛的情緒，所以這一著實在不可不防。

齊白長長嘆了一口氣，道：『若是能和宣宣重逢，我希望能夠和好朋友同享我的快樂。』

我還想拒絕，白素已經道：『我們等你將快樂的訊息傳過來。』

我趕緊說了一句：『請稍作過濾。』

齊白瞪了我一眼，這個協定算是通過。

由於齊白實行協定，他不斷將訊息傳輸入我們的腦部，所以情形奇特之極——齊白的所見所聞，他的一切遭遇，在經過訊息傳送之後，就成為我們的記憶，所以一切事情就如同我和白素親自經歷的一樣！

我曾經請他『稍作過濾』，齊白並沒有徹底實行，所以有些實在不應該傳送給我們的訊息，他也照傳不誤。我會在稍後將他傳來的訊息記述出來——當然經過了我的『過濾』。

現在且說在齊白消失了之後，我和白素互望了一眼——這時候我們之間的心意相通（腦部訊息直接交流）正在逐步形成之中，情形非常有趣。

本來我和白素交換意見，縱使在有些情形下已經不必說話，可是總要有些小動作，或者通過眼神來表達。可是現在完全不必要，我們才一互望，就立刻收到了訊息，雙方同時在問：『齊白走了，我們下一步做什麼？』

我們就是在這時候討論哪一方面最有希望解決天嘉土王的問題。白素認為在那山洞之中會有辦法。

我也很想去看看亮聲和勒曼醫院其他外星人究竟想做什麼，所以立刻就有了決定：到那山洞去。

雖然已經在傳媒的報導上，大致知道了亮聲他們準備怎樣進行，可是還是想不到情形的規模會這樣大，而且還有一些意外的細節。

在我們向那山洞去的時候，最大的問題是交通工具──大量民眾湧向同一個目的地，造成交通極度的擁塞，對天神的信仰竟然如此狂熱，有一個很特別的原因：在民眾之間，互相傳說，都說這次土王進入那山洞之後，天神會賜給他天上的力量，使他能夠在土王的位置上更稱職。

而且土王還會展示天神的力量，表現給民眾看。

所以幾乎所有能夠前往的民眾都出動了。很有趣的是人雖然多，可是秩序非常好，人人都感到天神的力量在監察他們，所以人人都規矩，連稍微粗魯的行為和語言都沒有，唯恐會因此遭到天神的懲罰。

因此我們像是進入了君子之國——傳說中才有的地方，這段路程成為我們經歷之中很愉快的回憶。

後來我和白素因之討論過一個問題：地球人的惡劣行為，可以完全遏止嗎？

這個問題很有趣，討論的過程也很長，只是和這個故事無關，表過不提。

等到來到山洞前面的空地，更是人山人海，空地中間，搭了一座台，台附近有很多守衛以及王族人士。

我和白素擠到台近前就被守衛攔阻。這時候我們都發現，那許多王族人士之間的氣氛，和民眾大不相同。民眾是一面倒的狂熱，氣氛熱烈。而大批王族，卻明顯分為敵對的兩部份，都各自有武裝人員，成為對壘。

兩部份一邊約有三四十人，一邊有八九十人，武裝人員比例也相同——我留意到了雙方武裝人員之中，都竟然有攜帶著全自動步槍的。

而雙方的敵意是如此之濃，連民眾都感覺到了，所以來到空地之後，民眾都很沉靜——靜靜地等待事態的發展。

出現這樣的場面，我們並不感到意外——天嘉土王久不露面，必然引起王位的爭奪，上次我陪土王去接受考驗的時候，也曾經出現過如今這樣的局面。

只不過如今的局面，看起來更加直接和赤裸裸，看來有意爭奪王位的一方人數較多，力量比較強大。

而且那一方的領袖，就是上次就想趁天嘉土王接受考驗時搶奪王位的海高！

我知道海高在王族中的威望很高，一直都是天嘉土王王位最大的威脅。而在天嘉土王久不露面的情形下，別人不知道發生了什麼事情，海高一定已經得到了可靠的情報，知道天嘉土王出了問題，目前是他搶奪王位的最佳時機。

這時候我和白素站在群眾的最前面，離開那些王族大概有兩百公尺的距離，但是仍然可以清楚地看到海高那種陰鷙的神情，看來他是勢在必得。

而從雙方的人數和形勢來看，也是海高這方面佔有顯然的優勢。

我緩緩地吸了一口氣，道：『亮聲他們假借「天神」的名義，真是聰明，看這情勢，如果不是有「天神」壓著，海高早就發動攻擊了。』

白素點頭：『不過看情形，海高並不是完全相信，他擺出了這種陣仗，就是準備乘機動手。』

我吐了吐舌頭：『等一會要是動起手來，可不得了，你看看雙方的武器，這裡數以萬計的群眾，混亂起來，就算子彈有眼睛，也不知道要死傷多少！』

我的意思很有些『這種熱鬧不看也罷』——因為在這種場合，一亂起來，身手再好，也很難脫身，『君子不立危牆之下』，趁早離開，不失為明智之舉。

白素微笑：『你仔細觀察一下群眾，聽聽他們在竊竊私語說些什麼。』

我照白素所說，留意了一會，發現群眾大多數都在期待看兩種熱鬧，一種是看天嘉土王如何進山洞去朝謁天神，而更多的在指指點點，分明是在等待看海高如何發動搶奪王位。

這『搶奪王位』這種行為，在自有人類歷史以來，就不斷在進行發生，本來不算什麼稀奇，可是畢竟也很難有機會親眼目睹，所以才會吸引了那麼多人來看熱鬧。

我不禁搖了搖頭：『這些人也太不知道好歹了——要是動起手來，子彈橫飛，他們為了看熱鬧，不怕死嗎？』

白素冷笑：『別看這些王族是封建統治階級，他們還絕對不至於兇殘失人性到公然用軍隊殺害聚會群眾的地步！搶奪王位，是他們自己間的事情，你看看距離，子彈就算飛了過來，怕也傷不了什麼人吧！』

我再留意群眾，只見所有人都是一副興高采烈的樣子，絕無害怕的神情，顯然他們對於王族的行為非常瞭解，知道王族之間的爭奪，不會殃及百姓。

我苦笑，常言道：一旦被蛇咬，十年怕草繩。

在號稱有五千年文明的國度，統治階層爭權奪利，可是禍延百姓，死了好幾千萬人的！

白素在這時候向我做了一個可愛的鬼臉，我只好雙手將臉掩著，表示慚愧——剛才我竟然想到了溜之大吉，衛斯理的英明神武不知去了哪裡，真是無面目見江東父老之極！

我顧左右而言他，岔開了話題：『亮聲他們怎麼還不出現？妳看海高是在天嘉土王進山洞之前動手，還是等他從山洞出來之後再發動？』

白素搖頭：『很難說——要看天嘉土王出場時候的氣勢。』

接下來發生的事情證明白素分析很對。

就在這時候，有非常洪亮的號角聲傳來，來勢好快，再接著就是有千軍萬馬之勢的吶喊聲和馬蹄聲。

在那樣浩大的聲勢中，本來擠在一起的群眾，忽地向兩邊分開，竟然像是訓練有素一般，在極短的時間內，讓出至少有十公尺寬的道路來。

而旗幟飄揚，號角響亮，一隊馬隊開路，一輛裝飾華麗的馬車在後，疾馳而來。

這氣勢本來就已經懾人，再加上在馬車上站著的是全副盛裝的天嘉土王。只見天嘉土王滿臉紅光，身子挺立，顯然健康狀況非常良好！

群眾一看到，立刻對他發出了歡呼聲——幾萬人齊聲歡呼，比天神打雷更令人震撼，我看到在那時候，海高的臉色難看之極，像發了霉的麵包。

不過那還不算有趣，有趣的是我看到駕駛那輛馬車的，赫然就是亮聲先生！

同時我還看到，在衛士和騎兵之中，還有不少熟悉的臉孔——都是好像在和勒曼醫院打交道時候見到過的。

我不禁暗暗吃驚——勒曼醫院派出了那麼多人，由此可見他們對這次行動何等重視。這次行動可以說是所有在地球上的外星人聯合行動！

這些外星人聯合起來，別說是海高和他的支持者無能為力，就算是聯合國派出部隊來支持他，只怕他也坐不上王位。

而外星人為什麼會聯合起來採取行動，當然是為了思想儀侵犯到了他們的權益，所以才對之如此深惡痛絕，非要將它剷除不可。想到這裡，我不禁很是感嘆——想要在宇宙間胡作非為，不是容易的事情，不像在地球上，任你作惡多端，非但不會受到制裁，而且還能夠贏得崇拜！

再看那個天嘉土王，雖然身子挺立，看來很神氣，可是仔細留意他的雙眼，卻可以發覺他的眼神非常呆滯，我相信亮聲已經給他配戴了某種會發光的隱形眼鏡，不然他的目光還要可怕。

現在這樣，別說是在馬車上疾馳而過，就算是面對面，若不是像我和白素那樣深明底細，也絕對不會發覺那只是一個複製人，更不會想到真正的天嘉土王正在勒曼醫院等死！

當然如果天嘉土王的靈魂能夠離開身體，現在在馬車上的也就是真正的天嘉土王了。

事情就是差那麼一點點，結果卻大不相同了。

這時候我想到的是：勒曼醫院他們準備怎麼樣？

若是能夠在那山洞之中找到使天嘉土王靈魂離體的方法，那麼當然立刻進行身體轉換，天嘉土王恐怕還可以在王位上五十年，再到時候去接受下一次考驗。

然而如果沒有找到方法呢？

勒曼醫院是準備就讓這個複製人一直充當土王嗎？

想到這裡，我不禁皺了皺眉——如果是這樣，那就非常不是好現象，因為那等於是外星人干涉了地球上的事務，此例一開，很快地球上所有的事務，就都會被外星人控制了。

這時候，白素輕輕碰了我一下，表示了她的意見：『我看他們全副心神，都是想到山洞裡去找對付思想儀的方法，天嘉土王的死活，他們不放在心上，誰當土王，他們也沒有興趣理會。現在他們這樣做，只不過為了方便行事而已。』

她這樣表示了之後，笑了笑，補充：『放心，衛斯理的理論，仍然有效。』

我當然知道她所說的『衛斯理理論』是我常說在地球上的外星人不會想佔地球人的便宜——就如同億萬富豪不會去搶乞丐面前的硬幣一樣。

白素知道我擔心些什麼，所以才特地提醒我。

就在這轉眼之間，天嘉土王一隊人馬，已經到了山洞之前，本來在洞前候命要搬開堵著洞口的大石塊的那些大力士還沒有反應過來，土王隊伍之中就有十幾二十個人，衝向前，將那些大力士推開去。

那些人想要反抗，可是立刻被眼前的景象所震懾，動彈不得——那些衝向前去的人，兩人一組，就去搬動大石。

那些大石，每一塊怕不有三五噸重，原來那些大力士在搬動時也要動用不少工具，而且非常吃力。而現在那些人，在徒手搬動的時候，看來卻毫不費力，他們還顯然故意將大石搬到海高那些人的面前，重重放下。

海高和他的支持者，看到了這種情形，個個臉無人色。亮聲在這時候大聲宣布：『這是天神所賜的力量！這是天神所賜的力量！』所有看到這種神奇現象的人，都屏住了氣息，體會天神力量的偉大和不可抗拒。

我心中暗罵亮聲狡猾，那些人當然是不知道什麼星球來的外星人，誰知道他們的能力高到什麼程度，恐怕伸手就將那些大石弄成粉碎，也不是難事！

不一會，大石搬開，現出洞口，亮聲和另一個人，一邊一人，扶著天嘉土王從馬車上一躍而下，看起來是對土王很恭敬，實際上當然是在控制複製人的行動。

（在這裡，我必須做一個說明：從我和白素來到這空地上開始，我們就接收到了齊白傳來的訊號，使我們知道齊白回到陰間之後發生了什麼事情。不過我在敘述的時候，說完了一件事，再說另一件事，比較不會紊亂。）

（所以我們當時的情形很奇特，一方面我們親眼看到在山洞前發生的事情，一方面我們同時也『看到』在陰間發生的事情。）

（在陰間發生的事情雖然由齊白傳送給我們，可是和親眼看到的感受並無不同。）

（古人所云：『目不暇給』，此之謂歟？）

且說土王下了車，連亮聲在內，大約有三十人左右，疾步走進山洞，那些搬石塊的人，就守在洞口——這當然是經過精心安排的，那些人剛才才表現了天神所賜的力量，現在守在洞口，當然不會有人敢闖進去。

亮聲在走進山洞之後，又出來在洞口站了一站，望向山洞外的王族——那時候王族雙方的形勢已經大大改變，原來簇擁在海高身邊的人，十停中有九停到了另一邊。

身邊只有很少人的海高顯得非常手足無措。

亮聲又向空地上的群眾望過來，我和白素就在這一剎間，感到亮聲是想在人叢中尋找我們。

從突然產生這種感覺，到我們展開身形，掠向山洞口，只是極短的時間，大約不到半秒鐘，然而就在那短短的時間內，我想到了許多事情。

首先我肯定亮聲這時候又出現在山洞口的原因，是為了找尋我們，而目的當然是希望我們現身，進入山洞去。

這就使我感到慚愧——因為我一直感到亮聲這次行事很是鬼頭鬼腦，覺得他有事情瞞著我們，至少是不想我們參加到那山洞中去探索『天神』留下來的東西，而只是由他率領外星人去進行。

現在亮聲有這樣的行動，顯然我是『小人之心』了。

我在向前掠出的時候，還發出了一下長嘯聲——剛才亮聲他們來的時候，其氣勢雷霆萬鈞，我當然不能就這樣隨隨便便走出去就算數。

我去勢很快，加上嘯聲，聲勢也算是非同小可，可是白素緊隨在我的身邊，姿態美妙，而且還向群眾作了向天神作崇拜的身形和手勢，一時之間，群眾歡聲雷動，真是驚天動地。

我們一下子就來到了亮聲面前，亮聲很高興，道：『知道兩位一定會在場，快進去吧。』

我們進入山洞，在一進入之後，就看到有人用各種儀器，在洞壁上探索——亮聲帶那麼多人來，很有道理，要進行詳細搜尋的話，確然需要很多人手。

一直來到那個土王接受考驗的所在，更多人在忙碌工作，那些人對於洞中的設施，有的像是很熟悉，已經在開始飛快的操作。對有的設施顯然還很陌生，正在用儀器探測和互相探討，也明顯看出有進展。

看到了這種情形，我只好暗自嘆息——亮聲只要外星人參加探索，非常有理。在這種狀況下，我和白素除了旁觀之外，根本插不上任何手。我在想：若是戈壁沙漠在，能不能也參與工作呢？結果我還是搖了搖頭。

白素提出：『紅綾在，可以和他們一起工作。』

亮聲在轉了一轉之後，來到了我們身邊，解釋他們探測工作的情形：『我們主要要找尋兩樣東西，一是那個思想儀——不會有全部，只要發現任何部件，就立刻銷毀！』

他在提到『思想儀』的時候，毫不掩飾他對這東西的厭惡，甚至於咬牙切齒！

他繼續道：『二是想發現「天神」的宇宙航行紀錄——我們現在還不知道他來自哪一個星球，希望他們也有航行紀錄這樣的習慣，就可以知道他們的來龍去脈了！』

我聽了，不禁很是吃驚，因為照亮聲這樣的說法，顯然所有的外星人——至少所有在地球上的外星人，都有了共識：他們不僅是要在地球上找尋思想儀，而且還要找到製造思想儀的那個星球！

目的，當然是要徹底消滅思想儀這種東西。

可以將這種行動稱為『剷除禍根行動』——宇宙間不容許有思想儀這種東西存在。

（這種東西倒是地球上極權統治者的夢中恩物。）

那麼這行動實際上就是宇宙聯合軍對付某一個星球的行動——宇宙戰爭！

宇宙之間以前不知道有沒有發生過戰爭？加果這是第一次宇宙戰爭，會對宇宙產生什麼影響，就算是外星人，只怕也沒有一個說得上來！

亮聲當然是一開始就想到了這一點的，所以他才覺得事情的嚴重性是如何驚人，相比較之下，地球上一個土王的生或死，實在是微不足道至於極點！

我想到了這些，白素當然同時想到，我們的神情自然而然變得很嚴肅。

亮聲顯然知道我們想到了些什麼，他嘆了一口氣，道：『那個星球上的人，非常了不起，竟然能夠創造出思想儀這樣的東西來。可是他們也非常愚蠢，竟然不知道擁有了這樣的東西就會成為宇宙公敵！』

白素道：『不，他們知道這一點，所以他們努力隱藏，不讓人發現。不過還是極度愚蠢，因為實際上思想儀這種東西，最終目的是控制他人思想，那是不論用什麼力量，不論用什麼儀器都無法達到的目的——最多在進行的過程中，造成一個時期的混亂而已。』

亮聲像是有些不明白白素何以說得這樣肯定，望著白素，白素微笑：『閣下在地球上也不是一天兩天的時間，當然也研究過地球人的歷史了吧！』

亮聲笑了起來——他笑得相當含蓄，因為當著我們兩個地球人，他不好意思太過分表達對地球人歷史的輕蔑。而我反而哈哈大笑，因為這種企圖控制他人思想的愚蠢行為，古已有之，於今尤烈，正是地球人歷史的主要組成部份。

在我大笑聲中，有人高叫了一聲，亮聲立刻向那人走去，那人伸手向上，指著洞頂上的那幅螢幕。

我對那幅螢幕並不陌生，當年和天嘉土王，就是躺在這螢幕下，看上面顯示民眾意向的。當時我就對這種能夠接收大量腦電波的設施，佩服之極。

這時候那人一面指揮幾個人在一具儀器前操作，一面指著那螢幕，螢幕上出現了許多曲線，接著有一陣怪異的聲音傳出來。有了這些變化，所有人都停下來。

亮聲大聲道：『選擇這裡大家都能聽懂的語言。』

這情形顯然是有了發現，有留下的資料可以通過語言來顯示，亮聲為了照顧我和白素，所以才有這樣的指示，這使我們很感激，證明他並不想對我們隱瞞什麼——如果選擇了一種外星語言，我們就無法聽得懂了。

我不知道總共有多少種語言可供選擇，總之在經過了十多種聽來完全莫名其妙的聲音之後，我突然聽到了我能夠明白的語言了，然而其餘所有人都搖頭。

那竟然是當地的一種土語！

亮聲揮手，語言選擇繼續，這次發出來的，所有人都不由自主歡呼起來，大家都聽懂了。

在發出這種語言的同時，螢幕上出現了一個火紅色的圓圈，隨著音調不斷變大變小，有時候甚至於變出人臉來。

大家都聽懂了的第一句話是：『我來自極遙遠的地方，我離開自己的星體，作宇宙流浪，目的是逃亡，逃亡，因為我背叛了自己的星體。』

這是大家都沒有料到的『開場白』，人人都面面相覷，不知道是怎麼一回事。

這時候反倒是我和白素，隱約料到了事情的一些可能。

現在發出聲音在作告白的，自然就是當地民眾崇拜的『天神』，我和白素早就假設過他和一二三四號，以及狄可，是來自同一個星體的外星人。

他一開口就提到了『逃亡』，使我們立刻感到情形和四號非常類似。

不過我們雖然想到了這些，並沒有出聲。

『天神』的自述在繼續：『我們的星體上，創造出了一種能夠探索高級生物思想的儀器——』

不少人在這時候發出了不同的聲音，都表示出：終於找到了要找的東西！

不過他們的神情並不是很意外，好像有這種發現，是早在他們意料之中的事情。我倒覺得很意外，事先完全沒有想到會在這裡發現天神的自白。

後來和亮聲談起，亮聲說，由於宇宙航行有太多的不可測，所以非常詳細的航行日誌是所有宇宙航行者的習慣，這種習慣可以使後來者知道經過情形。

像天神那樣來到了地球的外星人，更會把來的目的、航行過程、來了之後做了些什麼事情，都記錄下來。所以他對於可以發現這方面的資料有很大的把握。

天神的自白在繼續：『這種儀器的創造，在我們星體引起了極大的爭論，一部份人認為有了這樣的儀器，我們在宇宙間就可以處於高高在上的領導地位，控制其他星球的高級生物。另一部份人認為凡高級生物都追求思想獨立，絕對不歡迎思想受到控制，所以我們如果擁有這樣的儀器，就會引起宇宙間所有高級生物的反感，使我們成為被反對的對象。前一部份人佔絕大多數，而我是屬於最堅決的後一部份——在開始製造思想儀的時候，我已經開始反對。』

大家都聽得很用心，同時對這位來到地球之後變成了當地土人崇拜的天神外星人，表示非常欽佩，因為他目光遠大，看出那思想儀實在是個禍害。

天神的語調聽來相當傷感：『可是我卻無法說服大多數人，而思想儀終於創造成功，在整個星球為此狂歡的時候，我作出了一個我永遠不會後悔的決定——我取走了思想儀之中的一個最重要的部件。少了這個部件，思想儀對高級生物的作用，只能是初步探測，不能控制，只能對低級生物起到進一步作用。我知道我們無法再製造一個這樣的部件，這是我唯一能做的事情。』

聽到這裡，包括亮聲在內，所有外星人都互望，顯然他們心中都在問：『那最重要的部件現在在何處？』

我和白素不動聲色——我們都立刻想到，那『最重要的部件』顯然就是齊白帶走的那怪東西。

天神繼續說：『我帶了那部件，逃離了星體，奔向茫茫宇宙，沒有目的地，目的只要不被發現——我知道他們一定會在整個宇宙之中展開廣泛的搜索和追捕，不過我也相信他們不會成功。失去了主要部件的思想儀，還是有一定的作用，而這種功能的東西，必然引起廣泛的反感，所以我必須留下這段話，以待有朝一日，思想儀成為大眾敵人的時候，我的話可以使人知道，那思想儀不完整，只對低級生物起作用，所有高級生物，都完全不必恐慌，可以完全不加理會。』

我和白素互望了一眼，心中非常不是味道。

天神這樣說，很明顯替地球人定了位：低級生物。

而且還是很低級的生物！

因為別說是整個思想儀了，即使只是其中的一個小部件（奪命環），已經可以起在剎那之間令地球人靈魂離開身體這樣重大的作用！

你說地球人是高級生物還是低級生物？

而在我們覺得不是味道的時候，那些外星人都大大地鬆了一口氣。有的甚至於發出了歡呼聲——他們害怕會發生的事情，結果是不會發生，當然值得高興。

那個在操作天神留下聲音的外星人，高舉雙手，神情興奮，看來準備停止操作。我大聲道：『聽完他的留言！』

那外星人瞪著我，這時候亮聲站在我這邊，重複了我的話，那外星人看來有些不情不願，去繼續操作。

在那片刻之間，我突然產生對那些外星高級生物的一種非常厭惡感——雖然『衛斯理理論』依然有效，可是來到地球的他們越來越多，其中難免會有些不良份子，要是為害起來，能夠有什麼力量可以制裁他們？

後來這種感覺漸漸強烈，我還特地找亮聲商量過，當我說出我的顧慮後，亮聲用非常奇怪的目光望著我，說了一番我為之氣結，可是又無法反駁的話。

亮聲的話是：『我以為你是最了解什麼樣的人為禍地球最烈，怎麼你會憂慮起外星人來了？你會以為在地球上用各種各樣方法公開秘密殺人數以千萬計的，是外星人嗎？』

我只將那時亮聲所說的話引述了七分之一而已——其餘略過不提，以免『傷害地球人民的感情』。

卻說當時在山洞中，『天神』的留言在繼續：『以下這一段話，留給派出來追捕我的人：千萬不要再企圖製造第二具思想儀，不要成為宇宙公敵……』

接下來，都是他向他的同類分析思想儀有害無利的理論——他說過從開始製造起，他就一直反對，這些當然都是他反對的理由，沒有必要記述。

從留言中，可以知道他推測到追捕他的人，一定也會來到地球，所以他才盡最後的努力，想說服他的同類。

聽了留言，可以推測到有關這個星體上的人，有關思想儀，有關他們的宇宙航行中發生的一些事情。最早來到地球的是天神，他只帶來了思想儀的一個最重要部件。他的目的是破壞思想儀的功能，使思想儀無法對其他高級生物起作用。

天神達到了他的目的。

而一二三四號他們宇宙航行的目的，是追捕天神，他們的航行規模非常巨大，他們攜帶了思想儀，揣測有測驗思想儀剩下的功能的行動（選擇較低級生物作為實驗對象）。

一二三四號也來到了地球，他們顯然沒有在地球上找到天神（天神到哪裡去了——這位宇宙先知非常令人懷念），非但沒有找到天神，而且發生了意外。

至於那場意外，除非一二三四號出來說明，不然很難設想具體的情形。而意外的結果卻非常清楚：思想儀損壞，成了兩大部份和許多部件的散落。

在意外之前或者意外之後，四號也和天神一樣，採取了背叛行動，開始獨立生活，脫離了小組。

一二三號在這樣情形下，也不能歸隊，他們努力搜尋散落的思想儀部件之餘，還發現地球人的靈魂是容易被殘餘思想儀的運作操縱，所以他們建立了『陰間』。

本來不容易相信他們建立陰間只是為了『閒著沒有事情做』，而現在隨著知道的資料越來越多，還覺得真有這個可能。

在一二三四號也『失蹤』了之後，又有追捕他們的人出動，我所知道的是那個狄可。

狄可當然不會是單獨行動，他有多少同夥，不得而知。在狄可之後，還有多少人來，也不得而知。

必須說明：在我想到這些的時候，我已經從齊白傳來的訊息之中知道了陰間最新的情形。那情形照齊白的說法是：『陰間死了。』而照我『看到』的情形，正如齊白所說。

詳細情形放在後面敘述，總之我已經知道『陰間死了』，而唯一發生這種情形的可能是一二三號已經不在陰間了，他們放棄了陰間，才形成了陰間的死亡。

他們是自動離開了？是和四號會合了？是被狄可抓回去了？還

是怎麼樣了，都無法假設，也可能永遠沒有答案——宇宙浩渺，每時每刻都不知道有多少事情發生，沒有人可能知道所有事情的答案，沒有人。

當時在山洞中，聽完天神留言，那些人又忙了一會，我以為他們會拆除洞內裝置和設施，可是他們並沒有這樣做——根本沒有興趣。

亮聲向我和白素望來，我們那時候站在那個複製人旁邊——人人都在忙碌，只有我們和複製人無所事事，所以自然而然站到了一起。情況很是可哀，然而也沒有辦法。

複製人的情形，我不想再詳細形容——那只是一具身體而已，我甚至於懷疑那種情形是不是可以被稱為生命。

當時我指了指複製人，道：『沒有發現可以使天嘉土王靈魂離開身體的方法？』

亮聲攤了攤手：『根本沒有任何提及有關這方面的資料！』

我還沒有反應，亮聲已經道：『我看因為那是一件微不足道的小事，所以沒有資料留下。』

我很同意他的話，嘆了一口氣，道：『可是對天嘉土王來說，卻是頭等大事！』

亮聲一副愛莫能助的樣子，我忍不住又問了一句：『那麼他會怎麼樣？』

亮聲很奇怪我會這樣問，他帶著嘲笑的口吻道：『和其他地球人一樣啊。』

我冷笑：『要不是你們無能，他就可以轉換身體！』

我沒有想到這句話竟然吸引了所有人的注意，山洞之中，突然靜了下來。亮聲嘆了一口氣，道：『是的，比較起那個星體，我們顯得很無能。』

他這樣說了，而且顯然沒有人反對，我當然不好再說什麼了。

這時候我既然已經知道『陰間死了』，當然也知道在陰間不可能找到挽救天嘉土王生命的方法了。

是乘機交代天嘉土王結果如何的時候，天嘉土王結果和所有地球人一樣，死了。

不，他不一樣，他死了之後，靈魂還在他的身體之內！所以他在臨死之前，要求勒曼醫院保存他的身體，他要求永遠保存下去。他有這樣的要求，目的很明顯，是盼望有朝一日，會有他的靈魂離開身體的方法。

當亮聲告訴我這一點的時候，奇怪的是我突然想起了埃及的木乃伊！

古埃及的法老王死亡之後，都要求千方百計地保留身體，他們確然發明了保存身體的辦法，製成了木乃伊。一般都認為法老王製造木乃伊來保存身體的原因，是準備來日『復活』的時候有身體可以用。

我一直懷疑這種說法——試想，復活了的木乃伊是何等可怕！

我突然想到的是：情形可能恰好相反，保存身體並不是為了等靈魂回來，而是情況和天嘉土王一樣，靈魂在身體中無法離開，所以才要保存身體。

因為不知道身體沒有了之後，靈魂的處境會如何，所以才製造了木乃伊！

這些當然是我一貫的聯想方式，完全沒有任何規律可言，熟知我的朋友都知道我有這種一直可以聯想開去的本領。然而我對於自己的這個設想，感到很滿意。

因為根據這個設想，每個木乃伊之中，都有靈魂在！

可以將這個設想提供給靈魂研究學會去深入研究。

或問：天嘉土王死了之後，土王的位置怎麼樣了？哈哈，誰理會呢！誰理會誰做土王誰不做土王這種小事情！

在經過了很多努力、一些誤會之後，天嘉土王死了。不過他很有貢獻——全靠他的幫助，齊白才得到了那怪東西，有了那怪東西，才有齊白後來在陰間的遭遇。

當時亮聲他們認為任務已經結束，就離開了山洞。在離開的時候，還是聲勢浩大，引得民眾歡呼雷動，而不久之後，天嘉土王的死訊傳出，民眾照例哀慟一番。

後來（也是後來），我和亮聲提起，說他們大可以一直操縱那個複製人，由他們來做幕後土王，豈非甚妙！

亮聲聽了，哈哈大笑。

我這樣對亮聲說，其實頗『不懷好意』，是想試探一下，他們外星人是不是有意在地球上奪取權力——如果他們有此企圖，這次是很好的機會。

亮聲卻只是笑，令我尷尬。他笑了半天，才道：『衛斯理，我不相信你沒有讀過《莊子》，那裡面有一個故事——』

我不等他說完就大聲喝道：『不必你告訴我，我知道這個故事！』

亮聲背過身去，看樣子還在笑，真是可惡！

這些都是後話，不去說它，要緊的是齊白帶了那怪東西去陰間之後的遭遇。

由於齊白不斷地將他腦部活動的能量化為訊息傳送到我和白素的腦中，所以一切遭遇，我們如同親自經歷，而且是和齊白同步進行的，這種情形感覺之奇妙，真是難以形容。

當時我們自己有事情在做，而情形就像我們另外有一個分身，和齊白一起到了陰間一樣。

需要說明的是，他能夠將他的腦部活動化為訊息傳給我們，我們卻沒有這個能力，所以訊息的傳送是單方向的。

齊白在離開之後不久，就已經站在李宣宣隱沒的黑色箱形物體之前，他手中拿著那怪東西，神情相當猶豫。

他深深地吸了一口氣，唸了好多諸神保佑的詞句，可是仍然不知道該如何利用那怪東西才好。

陰間的一切，都很古怪，我曾經到過，又和一二三四號有過溝通，可是要我詳細具體地說陰間的情形，我也說不上來。我相信齊白雖然在陰間甚久，可是情況也比我好不了多少，甚至於李宣宣，可能也無法完全瞭解。

像這時候，為什麼一定要經過那個箱形物體，才能進一步進入陰間的另一些部份，我就說不出所以然來——可以說那箱形物體是一個門戶，所以必須通過它。然而在那物體的兩旁和上方，看來卻是空盪盪的，為什麼就不能通過去呢？

又為什麼李宣宣就這樣可以進去，而齊白卻不能？

這恐怕只有陰間的建立者才能回答了。

齊白開始行動，他將那怪東西伸向前，突然那怪東西離開了他的雙手，飛向箱形物體，一下子就黏貼在上面，宛如磁鐵互相吸引一樣。

齊白一看到了這種情形，高興得手舞足蹈，然而他很快就僵住，因為那怪東西只在上面貼了幾秒鐘，就掉了下來。

齊白怔了一怔之後，走向前，企圖擠進那箱形物體去，可是當然不成功。

在那時候，我們收到的訊息，是他沮喪之極的心情，當時我和白素都忍不住罵他：笨東西！

非常奇妙，齊白當然是自己忽然想起，因為他收不到我們的訊息。他伸手在頭上重重打了一下，大聲道：『七次！提醒過你的，怎麼就忘記了！』

他拾起那怪東西，才一舉起，怪東西又被吸過去貼在箱形物體上面……接連重複同樣的動作，到了第七次，齊白的心情變得緊張之極，不斷喃喃自語，向諸天神佛禱告。

這第七次的情形和以前六次不同，那怪東西在貼上去之後，沒有立刻掉下來，而是在上面緩緩轉動，在轉動之中，先是『柄』的部份，漸漸沒入箱形物體。

齊白目瞪口呆地看著，不知道該怎麼樣才好，心情極度惶急。

這時候別說我們無法將我們的想法傳送給他，就算能夠，我們也不知道該怎樣才好。

這種情形，分明是表示怪東西正在發生作用，然而應該怎樣才能進入箱形物體，卻完全沒有頭緒。

很快，那怪東西的『柄』已將全部沒入，只剩下『鎚』的部份在外面了！

這時不但齊白著急，我和白素也同樣著急，因為眼看那怪東西要全部隱沒進去了——李宣宣隱沒進去之後音訊全無，那怪東西要是也一樣，那真是不知道還有什麼戲可唱了。

齊白急得抓耳撓腮，然而突然之間，他大叫一聲，福至心靈，雙手伸出，緊緊抓住了那怪東西『鎚』的部份。

接下來發生的事情怪異莫名，可是卻看得人眉飛色舞，心情舒暢無比，想到的只有三個字：成功了！

看到的景象是：在齊白抓住了『鎚』的時候，怪東西繼續在沒入，很快，『鎚』的部份也已經隱沒，卻是連齊白緊緊抓在上面的雙手，一起進入了那箱形物體。

再接著，是齊白的身體，慢慢地進入——明顯的是被那怪東西帶進去的。

而在那時候，有一個短暫的時間，是一片黑暗。我知道，我有過這樣的經歷，那是在從一個空間到另一個空間的一種過程——我只知道那是一個過程，並不知道那是一個什麼樣的過程。

就在還是一片黑暗之中的時候，就已經聽到了李宣宣在叫喚齊白的名字，同時我們也感受到了齊白在聽到了之後那種接近瘋狂的喜悅！

片刻之間，眼前又出現了景象——才一出現景象的時候，我怔了一怔，眼前看到的一切，十分熟悉，那是一個巨大的空間，全是各種各樣的儀器裝置，如同一個大工廠。

那正是一二三號放置他們所擁有的那半部思想儀。

然而卻又和我上次經歷，有很大的不同。

然而這時候我卻不能進一步去發現究竟有什麼不同。因為我的所見全是齊白傳來的訊號——他給什麼，我就看到什麼，由他作主，我完全無法掌握。

這時候，齊白已經看到了李宣宣，他的視線之中，自然除了李宣宣之外，再也不可能有別的東西了。

李宣宣在那些儀器之中奔出來，齊白奔過去相迎，情形之老土，猶勝三十年代的蹩腳愛情片中的鏡頭。

這倒還可以忍受，接下來，我和白素面面相覷，真是不知道如何才好，遭遇之奇特，以我們兩人來說，也是前所未有！不但令人難以相信，而且在此之前，也根本無法想像。

可是奇怪的是，我們這種感覺很快就起了變化！

先說齊白和李宣宣很快的擁抱在一起，他在那時候並沒有適當的暫時停止向我們傳送他腦部活動產生的訊息！所以我們全面地接收了他當時的心情。

那是他對李宣宣深情的愛，和緊緊擁抱李宣宣的快樂……

這種感受對齊白來說，自然而然，可是對我和白素來說，卻實在莫名其妙至於極點，古怪透頂，不知所措，我想將李宣宣推開去，可是既然是齊白緊緊抱著了她，我怎麼推得開她？

然而這種尷尬的情形，只維持了極短的時間，我和白素互望了一眼，立刻變成了是我和她的擁抱，齊白那種熱烈的愛情感覺，自然而然融入了我和白素之間！

那時候我們正在進入山洞，我和白素緊靠在一起，沉醉在愛情的甜蜜之中——相信比齊白和李宣宣更甜蜜，因為除了有齊白的感覺之外，還加上我們自己的感覺。

恐怕世界上再也沒有另一對男女會有這樣濃烈的愛情感覺了！

同時我們也感到齊白對我們的感激——他終於又見到了他的李宣宣。

他們擁抱了良久，才稍微分開一些，李宣宣望著齊白，滿臉淚水，齊白四面看著，在找那怪東西，他剛才被怪東西帶進來，一聽到了李宣宣的聲音，就將怪東西不知道拋到哪裡去了。

這時候他才看到，怪東西就在不遠處，還在緩緩轉動，他指了一指，李宣宣過去將它拾了起來，道：『陰主說過，這是這裡一切的靈魂。』

對於這句話的理解，當時我和齊白一樣，可是後來我就比齊白更加深刻，因為我從天神的留言中知道，這東西是思想儀的最主要部份，其重要程度，相當於人的靈魂和生命的關係。

這也多少明白了何以會有『向天嘉土王借靈魂』的誤會，那是李宣宣沒有聽清楚，要借的不是『天嘉土王的靈魂』，而是向天嘉土王借『思想儀的靈魂』！

也由此可知，一二三號知道這怪東西的存在，更可能也知道天神曾經做過些什麼事情，他們沒有去設法得到這怪東西，不知道是為了什麼原因？很可能是天神做了一些防衛，使他們難以下手。

白素的分析比較精闢，她的意見是：天神可能主動聯繫過一二三號，甚至四號，而天神盜走了那怪東西，是大家都知道的事情，所以一二三號知道怪東西在天神那裡，也知道天神和天嘉土王的關連。

相信天神曾經對一二三號進行了告誡，使他們明白了思想儀如果保持完整的害處，所以他們才任由那怪東西留在天嘉土王的寶庫之中。

我接受白素的分析，因為從後來發現『陰間死了』的狀況來看，在陰間部份的思想儀，肯定遭到了徹底的破壞，即使有那怪東西，也無法復原。

能夠對思想儀進行這樣徹底破壞的，當然只有一二三號他們自己，而他們破壞了思想儀，結束了陰間，就很有可能是受了天神的影響，和天神一起，背叛了他們的星體——實際上是挽救了他們的星體，不至於成為宇宙公敵。

照這樣的方式分析下去，一二三號很可能和天神在一起了——他們是不是還繼續在逃避追捕？很使人懸念。

當時，當齊白的視線離開李宣宣的時候，我們就也看到了巨大、複雜的思想儀的狀況。

李宣宣在解說：『我進來的時候，已經是這樣的了。』

齊白很吃驚：『怎樣了……陰間……死了？』

他使用了『陰間死了』這樣古怪的言語，可是看到的情形，卻又極之貼切。

我以前曾經到過這裡，看到巨大複雜的思想儀，和現在看到的完全不同。以前那些儀器、裝置都是活的，有的不斷閃光，有的在動，有的發出聲音，許多螢幕上都有不管是不是看得明白的圖形出現，一切都說明，所有的部件都在運行活動。

而現在卻是一片死寂、靜止和黑暗。

或者不應該說『陰間死了』，但絕對是『思想儀死了』！

齊白很有些傷感，走動著，在一些儀器前，伸手撫摸它們，李宣宣道：『陰主曾經說過，如果我無法和他聯絡，他一定有了意外，我只有進來的能力，不能離開，除非有……天嘉土王的……靈魂……』

這時候李宣宣顯然也知道自己對陰主的話有誤會，所以說來很猶豫。她沒有再說下去，只是將那怪東西向齊白揚了一揚，道：『陰主所說的一定就是這個——你能憑它進來，我們就都可以憑它離開。』

齊白說得真情流露：『只要能和妳在一起，離開不離開，有什麼關係！』

李宣宣柔柔地望著齊白，那種眼光，令人心醉——值得一提的是，我的腦部活動，竟然能夠在這種情形下，自動將李宣宣的眼光，轉變成為白素！

於是在感覺上，完全就是白素情深款款地望著我——人家或者會略微感到肉麻，可是我自我感覺極端良好。

李宣宣一面說話，一面走動，齊白緊緊跟在她的身邊，不時伸手抓住她的手，像是怕她又會突然消失。

他們經過的一些所在，都是我上次到陰間的時候經過過的——看到的一切，都可以和『死了』發生密切的關係。

李宣宣不斷地在問：『為什麼會這樣？發生了什麼事情？』

在通過一個相當黑暗的通道時，聽到她深深吸氣，她對齊白道：『等一會，你看看，是發生了什麼事情？』

我知道通過這個通道，可以看到一種非常奇異的景象，我雖然曾經見過，可是很難形容。當時一二三號告訴我，歷年來來到陰間的靈魂，全部都在這裡。

而我看到的，像是一本非常巨大的『書』——至少有二十公尺高，有許多頁，灰黑色，半打開，呈扇形，可以看到每一頁上，都有無數細小的亮點，非常密集，比天上的繁星更甚。

一二三號告訴我，這些小亮點就是人的靈魂。

而曹金福的祖父，告訴我們，在靈魂所在之處，無痛無苦無樂無憂無……是一種我們完全無法領悟的境界，他非常滿足於這種境界，完全不想回到人間——當年他和他的族人完全有機會回到人間，可是卻毫不猶豫選擇了留在陰間。

現在從李宣宣的話中，非常明顯，那地方的情形也起了變化。我從看到了思想儀『死亡』之後，就立刻想到過：那些靈魂怎麼樣了？

我難以設想數量如此巨大的人類靈魂究竟發生了什麼變化，心情相當緊張。

很快，齊白和李宣宣就經過了那個通道，齊白立刻發出了一下驚呼，我和白素也同時心向下一沉。

看到的情形是：那本巨大的『書』還是照上次的樣子那樣打開著，可是每一頁上，都只見灰黑色，完全沒有亮點，連一點都沒有，消失得徹底之極。

齊白在驚呼之後，失聲道：『那些靈魂——』

他只說了一半，就沒有再說下去，他原來是想說『那些靈魂死了』，可是他想起，靈魂怎麼會有死亡，所以就說不下去了。

李宣宣一副期待答案的神情，望著齊白，齊白搖頭，神情迷惘，顯然他不知道發生了什麼事情。

在這時候，我接收到了白素的訊息：離開了！所有靈魂都離開了。思想儀既然已經停止了一切運作，陰間也等於已經不再存在，原來在陰間的靈魂也就離開了！

我的迷惘程度絕對不在齊白之下：他們到哪裡去了？

白素傳送過來的訊息，也是一片空白。

或許他們到了另一個空間，或許他們就散落在人間，或許他們已經又找到了身體，或許……

有無數『或許』，每個或許都超乎我們的知識範圍，所以只能是或許！

李宣宣顯然不是很在乎有沒有答案，她長長地吁了一口氣，靠向齊白，道：『終於真正的只有我們兩個人了！這是我們多久以來的願望啊！』

齊白感嘆之極，摟住了李宣宣：『就讓只有我們兩個，永遠這樣，永遠這樣！』

接著是齊白忽然而來的大叫聲：『就這樣了！』

他那一下大叫，顯然是對我和白素發出的，就在他大叫之後，就什麼也看不到，什麼也聽不到了。

他停止了向我們傳送任何訊息。

我當然不會以為他會永遠將他的腦部活動化為訊息傳送給我們，可是也沒有料到那麼快他就過橋抽板，真是太豈有此理了。而且聽他和李宣宣最後的對話，顯然非常不準備讓任何人去打擾他們，恐怕日後要和他聯絡，也很困難了。

我心中爆發了一連串對他的詈罵，白素道：『各人有各人的生活方式——』

我哼了一聲：『他能算人嗎？這種半人半鬼的東西，只配在死去了的陰間過日子。』

白素笑：『你沒有聽到嗎？他們雙方都認為只要能夠兩個人在一起，哪裡都不是問題。』

我仍然忿忿不平，白素道：『你無非是想多知道一些陰間的情形，其實他們不能提供進一步的資料，他們對陰間的瞭解，可能還不如你！』

我想了一想，道：『不是「可能不如我」，而是根本不如我！』

確然他們在陰間雖然久（李宣宣更久），可是他們就不知道一二三號，當然更不知道四號，也不知道思想儀，只以為那是『陰主的能力』。

不可能通過他們去知道一二三號究竟怎麼樣了——真要知道究竟發生了什麼事情，要通過別的途徑。而我是不是會有興趣再追究下去？

想到這裡，我忽然覺得很是疲倦，自然而然大大地打了一個呵欠，感嘆道：『人間的事情還理不完，誰去理陰間的事情！』

白素微笑：『這話，有點悟了，可是不夠——應該說：自己的事情還理不完，誰去理他人的事情。』

我拍手，哈哈大笑：『也還不夠，應該說：自己、別人、人間、陰間，根本都沒有事情，沒有事情，何從理起！』

白素深呼吸，我感到她的心境非常平靜，真是接近『根本沒有事情』的境界。我自問實在很難做到和她相同。

齊白訊息斷絕，亮聲他們又完成了掃除禍害的任務，皆大歡喜。只有天嘉土王斯人獨憔悴，在勒曼醫院等死。在我和白素回到了家中之後十來天，小郭來到我家。

小郭的樣子很難過，他在喝了一大口酒之後，道：『那麼多人努力，結果都沒有辦法！』

他這樣說，自然是在哀悼天嘉土王之死。我引用了英國人在國王逝世之後所說的一句話回應他：『國王死了，國王萬歲！』

小郭還是唉聲嘆氣地離去。

在他離去之後不久，忽然聽到大門上傳來如同擂鼓一樣的敲門聲，敲得甚有節奏，而且節奏很是輕鬆，表示敲門的人，心情很是愉快。

對於這種敲門的方式，我本來應該並不陌生，可是卻又實在很是陌生。

這話並不矛盾：以前溫寶裕就常用這種方式敲門，而且每次當他這樣敲門的時候，就表示他心情愉快，有好消息來報告。可是這種情形，自從他在『寶地』和『長老』的溝通越來越密切之後，早已經不再有了。

那就是說，在溫寶裕接受了長老的『地球人口太多引致地球毀滅』論之後，他整個人從內心到外在，從思想到言語行動都發生了變化——從我們熟悉的溫寶裕，變成了一個徹頭徹尾的陌生人，和他之間的隔膜甚至於還在陌生人之上，因為他的『消滅人口論』非但叫人無法接受，而且使人極度反感，他甚至於設想過將地球上百分之九十九以上的人口，變成塵螨！

在有了這樣的變化之後，溫寶裕每次來，都是客客氣氣地按鈴，顯然這種陌生感並不是我們單方面，溫寶裕也有同樣的感覺，所以才影響了他的行為。

而現在，在久違了之後，忽然又聽到了這樣的敲門聲，我一時之間怔住了，不能肯定來者是誰。

而就在這時候，白素和紅綾一起從樓上下來，她們當然也聽到了敲門聲，紅綾立刻就道：『是小寶回來了嗎？』

我和白素互望了一眼，紅綾問的是：『小寶回來了嗎』，而不是『小寶來了嗎』。這其中很有分別，表示紅綾聽到了這樣的敲門聲，直接的感覺是溫寶裕恢復了原狀，變回了以前的溫寶裕，所以才會有他『回來了』的說法。

我和白素也有這樣的感覺，紅綾要去開門，我做了一個手勢，阻止了她，同時提高聲音：『你不是有鑰匙嗎？自己開門進來！』

這是假定在敲門的是溫寶裕——他有鑰匙，雖然已經很久沒有使用了。

我這樣做，是要看看溫寶裕是不是和以前一樣。

在溫寶裕身上發生的變化實在太難以捉摸，不久以前他還成立了一個什麼『大同盟』，自任盟主，紅綾還因此非常生氣，不知道他又在搞什麼花樣。

白素和紅綾顯然都知道我的用意，她們都不出聲，只聽得門外果然傳來了溫寶裕的聲音：『得令！』

接著，門就打開，溫寶裕笑嘻嘻，半走半跳進來——剎那之間我以為時光倒流，因為這就是以前的溫寶裕，再假裝也假裝不來的！我和白素還有一些保留，紅綾卻是完全沒有機心的人，一看到了這種情形，立刻發出了歡呼聲，張開雙臂，抱住了溫寶裕，溫寶裕立刻發出慘叫，雙眼反白，作就快窒息狀。

到了這時候，我和白素雖然不知道發生了什麼事情，可是對於『小寶回來了』，卻是再無疑問。

紅綾放開了溫寶裕，歡喜無限地望著他，道：『小寶，你好了？』

溫寶裕笑道：『這是什麼話，我本來就沒穿沒爛！』

紅綾很驚訝：『那個成立什麼「新生大同盟」的不是你啊？』

溫寶裕伸手指著自己的鼻子：『除了我，還有誰？』

我們三人都用非常疑惑的眼光望著他，溫寶裕笑：『別吃驚，想通了，地球確然會因為人口太多而導致毀滅，本來的想法是消滅大量人口，那是鑽了牛角尖！』

我有些遲疑：『那現在的想法是——』

溫寶裕哈哈大笑：『中國北方人有一句俗語：惹不起，還躲不起嗎？』

紅綾雖然『學究天人』，可是溫寶裕這句話她就不是很明白。我疾聲道：『你的意思是：離開地球？』

溫寶裕手舞足蹈：『對了！地球必然會毀滅，就算不，這樣亂七八糟的地方也不值得生活下去，必須有一部份徹底認識到這種情況的地球人，離開地球，去尋找新的生活——』

他說到這裡，亢奮起來，跳上椅子，揮動雙手，開始演講：『這就是新生大同盟成立的宗旨——』

雖然這時候溫寶裕的行為看來很像在地攤前面叫賣，可是我卻並不感到好笑，因為溫寶裕所說的，顯然是一個非常嚴肅的課題：認識到地球會走向滅亡的地球人，絕對應該可以選擇離開地球。

而在這個問題上，如何才能離開地球，反而屬於次要——主要的是要在觀念上先確定這一點。

不單是我，白素的想法顯然和我一樣，紅綾有迷惑的神情，溫寶裕大聲道：『快來參加！』

他又補充了一句：『全家參加，有特別優惠喔！』

十足是地攤叫賣了！

溫寶裕興致勃勃：『尋找新生地點的先頭部隊即將出發，三位盍興乎來！』

這句又何其大雅！

是不是接受溫寶裕的邀請，一時之間很難決定。不過老朋友卻很容易知道我究竟作了什麼樣的決定：若以後再也看不到衛斯理記述的故事，事情就很明顯了！

事情總要有個決定的！

國家圖書館出版品預行編目資料

只限老友/倪匡著.-- 初版.--
臺北市：皇冠,2005(民94)
面; 公分.--
(皇冠叢書;第3509種 倪匡科幻小說;123)
ISBN 957-33-2189-0(平裝)

857.83 94020819

皇冠叢書第3509種
倪匡科幻小說 123
只限老友

作　　者—倪匡
發 行 人—平雲
出版發行—皇冠文化出版有限公司
台北市敦化北路120巷50號
電話◎02-27168888
郵撥帳號◎15261516號
出版統籌—盧春旭
編務統籌—金文蕙
美術設計—游萬國
印　　務—林佳燕
校　　對—陳秀雲・金文蕙・黃素芬
著作完成日期—2004年7月
初版一刷日期—2005年12月

法律顧問—王惠光律師
有著作權・翻印必究
如有破損或裝訂錯誤，請寄回本社更換
讀者服務傳真專線◎02-27150507
皇冠文化集團網址◎www.crown.com.tw
電腦編號◎005123
ISBN◎957-33-2189-0
Printed in Taiwan
本書僅限台澎金馬地區銷售
本書定價◎新台幣120元